CB128844

1565 ENQUANTO O BRASIL NASCIA

1565 ENQUANTO O BRASIL NASCIA

PEDRO DORIA

EDITORA
NOVA
FRONTEIRA

Copyright © 2012 por Pedro Doria

Direitos de edição da obra em língua portuguesa adquiridos pela Editora Nova Fronteira Participações S.A. Todos os direitos reservados. Nenhuma parte desta obra pode ser apropriada e estocada em sistema de banco de dados ou processo similar, em qualquer forma ou meio, seja eletrônico, de fotocópia, gravação etc., sem a permissão do detentor do copirraite.

Editora Nova Fronteira Participações S.A.
Rua Nova Jerusalém, 345 – Bonsucesso – 21042-235
Rio de Janeiro – RJ – Brasil
Tel.: (21) 3882-8200
Fax: (21) 3882-8212/8313

CIP-Brasil. Catalogação na fonte.
Sindicato Nacional dos Escritores de Livros, RJ.

D752m Doria, Pedro
1565 — Enquanto o Brasil nascia: a aventura de portugueses, franceses, índios e negros na fundação do país / Pedro Doria. 1.ª ed. Rio de Janeiro: Nova Fronteira, 2012.

ISBN 978-85-209-3114-1

1. Brasil - História. I. Título.

12-5826 CDD: 981
CDU: 94(81)

para os cariocas Laura e Felipe,
para o paulistano Tomás

SUMÁRIO

Prefácio 9
Um exercício de imaginação 21
Uma fé, uma lei, um rei 45
A espera angustiada 77
Águas de março 97
Com açúcar, com afeto 139
Por Sá ganhada 173
Mui leal e heroica 199
De cachaça e ginga 233
Minas não há mais 255
Posfácio 267
Referências bibliográficas 271
Agradecimentos 275

PREFÁCIO

Nas próximas páginas, o leitor encontrará um livro de história. Ou de muitas histórias, lugares e personagens que se encontram. É a história do sul do Brasil nos dois primeiros séculos de colonização portuguesa. Da Bahia para cima havia riqueza; para baixo, antes do ouro, a vida foi muito dura. É a história do Rio de Janeiro, mas não apenas do Rio, porque está intimamente entrelaçada com a história de São Paulo. O Rio, o leitor lerá mais de uma vez nas próximas páginas, nasceu para que São Paulo sobrevivesse. E uma história que é tanto do Rio quanto de São Paulo termina por ser, também, uma história de como um pedaço do Brasil nasceu.

A história desta relação entre as duas cidades é, mesmo quando discreta, a linha condutora. Salvador era a capital, representante de Lisboa na terra. São Paulo, a cidade bandeirante. Rebelde. O Rio ficou no meio: bandeirante e oficial. Malemolente. Até a descoberta do ouro, o Rio mediou a relação da Coroa com os rebeldes.

Esta história é também uma saga familiar. O sul do Brasil – não só o Rio – é invenção da família Sá. Porque esta malemolência, este espírito de fluir entre uma identidade e outra sem nunca se definir por completo é coisa que os descendentes de Mem de Sá aprenderam governando o Rio e gerenciando a relação entre o Império e as peculiaridades deste sul indômito da colônia. Os Sá eram bandeirantes de se embrenhar na mata com gibão e pés descalços, falando tupi, comendo farofa e caçando com arco. E eram fidalgos do reino, capazes de discutir a geopolítica do Império em Lisboa e a relação entre as colônias da China, da Índia e da África enquanto vestiam puro linho e casaca de seda.

O carioca que, no domingo, discute cheio de gírias o futebol com o barraqueiro da praia enquanto veste apenas sunga, cerveja à mão, e que, na segunda, de terno, janta ao bom vinho e fala inglês destrinchando contrato com multinacional é descendente cultural dos Sá, mesmo que não o saiba. Na língua que falamos na rua, não poderia ser mais simples: até nossa marra de carioca é coisa dos Sá. Eles inventaram isso. Criaram essa identidade. Esse nosso jeito.

A história contada neste livro não é, portanto, apenas do Rio. Nenhuma história é solta do todo. O que estava acontecendo no norte do Brasil, na Europa, na África, e mesmo na Ásia, produziu consequências. Assim, personagens deste livro incluem um sultão descendente na Terra do profeta Maomé, dono de um império ainda mais vasto do que qualquer império europeu do tempo; uma rainha africana tão poderosa que forçava os homens de sua guarda pessoal a se vestirem de mulher para que ninguém tivesse dúvida sobre quem estava no comando; um corsário holandês tão astuto que, de um único golpe, fez quebrar a banca do Império espanhol. (Para, depois, ser derrotado por um Sá recém-saído da adolescência.)

Outros personagens aparecerão fatalmente. Os franceses e os calvinistas. Uns tipos curiosos chamados peruleiros. Os portenhos – sim, Buenos Aires, as histórias do nascimento de Rio e São Paulo estão entrelaçadas com a da capital argentina. Quando Adolfo Rodríguez Saá foi eleito indiretamente presidente do país por alguns dias, em dezembro de 2001, lá estava uma discreta memória desse tempo, no século XVII, em que as elites de um canto e do outro eram comuns.

Os Sá: Mem, Estácio, Salvador, o velho, Martim e Salvador, o moço – eles à frente e inúmeros irmãos, primos, tios. Quatro gerações, pouco mais de um século. Há muitos jeitos de interpretar essa gente. Uma é vê-los como caudilhos que controlaram o lugar com mão de ferro, ditadores. Como se o Rio fosse uma fazenda sua, e o sul do país, seu quintal. Quando caíram, afinal, por conta de uma revolta popular contra desmandos e arbitrariedades.

Outra jeito é olhar como uma família muito hábil politicamente, que garantiu a independência de São Paulo e, assim, pavimentou o caminho que desembocaria na descoberta do ouro. Os Sá no Rio eram a garantia, para Lisboa, de que havia um olhar atento em São Paulo. Esta história é a que dá personalidade às duas cidades, que faz de uma malemolente e da outra, indômita.

Nos séculos XVI e XVII, nada garantia que o ouro seria descoberto pelos bandeirantes em Minas. No tempo em que o dinheiro estava no litoral norte, a cultura e a personalidade das duas cidades foram desenvolvidas. Quando o centro de gravidade econômica se deslocou, na primeira metade do século XVIII, foram as elites do Rio e de São Paulo, não as de Salvador e Pernambuco, que definiram que país o Brasil viria a ser.

A saga dessa família é extraordinária, ímpar na história colonial portuguesa. Durante quatro gerações, ascenderam social e politicamente. Fizeram do Rio uma colônia que tinha colônia noutro continente. Mais que isso: chegaram perto, muito perto de estar no comando do governo em Lisboa. Do governo do Império. Chegaram tão longe num processo de ambição desenfreada que puseram tudo em risco, e, no jogo de dados das intrigas palacianas, perderam a aposta maior.

Ao perder, perderam tudo.

Na tensão entre o provinciano e o cosmopolita, há outra herança dos Sá. Para eles, o Rio era a ponta de lança para o mundo. Sua ambição era tanta que, muitas vezes, a cidade ficava largada para segundo plano. Nós, cariocas, somos, também, desleixados com a cidade.

A região do Castelo, no Centro, leva o nome do morro onde a cidade se fez, mas, para nós, é só o Castelo. Não há um marco imponente para dizer quantos viveram, quantos morreram, por que demoliram. Não há sequer placa para dizer que ali houve um morro posto abaixo. No morro da

Glória, lá está a igreja do Outeiro, simpática, mas não há lembrança de Estácio, Aimberê ou da aldeia Uruçumirim. Ali foi o cenário de uma batalha sangrenta que definiu a fundação da cidade. Se os portugueses tivessem perdido aquela batalha, como perderam tantas outras, não haveria Rio. Sem placa ou memória.

No Flamengo, na pacata esquina das ruas Princesa Januária e Senador Eusébio, não existe placa informando "Aqui esteve a Casa de Pedra, a mesma que um dia os índios acharam tão peculiar que decidiram batizá-la Carioca, Casa de Branco". Há uns prédios de classe média com apartamentos amplos e de pé-direito alto, umas gaiolas de passarinho, os porteiros conversando, vassoura de piaçaba à mão, e todos agindo como se uns cinco ou seis metros abaixo da terra ainda não estivessem, lá, sólidas, as fundações da primeira construção europeia no Rio de Janeiro: a casa que nos batizou cariocas.

De quadra em quadra: por que é São Clemente aquela rua? Quem foi João Pereira de Sousa Botafogo? Que belga, ou flamengo, morou naquela praia? Este sujeito que morou ali batizou o bairro e, não fosse ele, o clube de futebol que nasceu ali poderia ter tido outro nome. Zico jogaria com outras cores. Se João Pereira de Sousa fosse marceneiro e não especialista em artilharia, Garrincha também jogaria com outra marca. Por que tanta gente conta a história de um naufrágio que trouxe a imagem de Nossa Senhora de Copacabana do mar, quando a história real é tão mais fascinante, tão mais importante e revela tanto mais sobre como o Rio se formou? Que até hoje se pague promessa subindo as escadarias da Igreja da Penha tem motivo. Que ainda se cante um samba sugerindo que no Rio "de dia falta água" também tem razão – e uma razão dramática que pontuou o cotidiano carioca por quatro séculos.

A história do Rio foi apagada. Apagada coletivamente por nós todos. Nós, cariocas, não sabemos de onde viemos e, assim, não compreendemos de fato que cidade é essa. Como surgiram seus problemas, de onde vieram seus (maus) hábitos políticos. A cada quatro anos, o Rio ganha um novo prefeito que promete revitalizar o Centro ou o porto ou uma região qualquer que nos pareça histórica. Mas nada acontece.

Meu pai nasceu no Distrito Federal. Nasci na Guanabara. Meus dois filhos, cariocas, no Rio de Janeiro. Três gerações, três estados, a mesma cidade. Em algum momento ali, entre a perda da capital e a fusão, nossa identidade se perdeu. Ficou a exuberância das pedras, lagoas e mato, a opressão da pobreza presente. A opressão do presente como se o passado mais remoto que pudéssemos imaginar fosse aquele da Bossa Nova.

Até as primeiras décadas do século XX havia muitos jornalistas e cronistas que se dedicaram a recontar para os cariocas sua história nas páginas de jornais e livros. Vieira Fazenda, Gastão Cruls, Vivaldo Coaracy, Luiz Edmundo. Gente que escrevia muito bem, que tinha um olhar curioso e um fascínio pelas pessoas que construíram a cidade.

Morei por cinco anos em São Paulo. É uma cidade que não vai às ruas quando o Flamengo se sagra hexacampeão brasileiro. Como se não estivéssemos no Brasil. Mas é também cenário de um bocado da história do Rio. Os homens que caíram mortos ao lado de Estácio, naquela batalha inicial, eram quase todos paulistas que tinham um inimigo comum: os tupinambás que atacavam suas fazendas e cidades. O Rio foi uma cidade bandeirante como São Paulo. Foi uma cidade de índios mais que de brancos, como São Paulo. As brigas dos cidadãos com os jesuítas que culminaram mais de uma vez na expulsão dos padres de ambas as cidades eram coisa de Rio, de São Paulo e de nenhum outro canto no Brasil.

São cidades irmãs e, talvez por isso mesmo, desde os mil e quinhentos uma encara a outra com desconfiança.

Na redação de *O Estado de S. Paulo*, às margens do rio Tietê, às vezes me flagrei com inveja dos paulistanos. Seu colégio dos Jesuítas não foi posto abaixo: é museu. Há estátuas de bandeirantes por toda parte. O museu do Ipiranga é dedicado inteiro aos três primeiros séculos da história da cidade. São Paulo não abandonou sua história. Pode ter tentado engrandecê-la mais do que era, mas não a abandonou.

Cidades não abandonam sua história.

No centro de Boston, as marcas do passado estão registradas em cada esquina, tingidas de vermelho na calçada. Em Nova York, há inúmeros museus históricos, e os novaiorquinos – natos ou adotivos – conhecem de cabeça por que um bairro veio a se chamar Meatpacking District, ou como aquela rua terminou com o nome Wall Street. É-lhes natural. São Francisco celebra de seu passado distante mineiro, quando inventaram a calça jeans, ao passado recente, hippie. Barcelona, cuja recuperação após as Olimpíadas é sempre relembrada, é um museu a céu aberto que data dos tempos de Roma. Todo catalão conhece o passado que lhe fez catalão: é sua identidade, é o que o difere. Em Londres, cada capítulo da história da luta contra o poder absoluto do rei, tema principal de sua existência, é contado em todo prédio, em toda esquina. Não existe pub no qual se entre em que uma placa não comunique ao distinto cliente que a casa opera desde mil seiscentos e algo.

Salvador celebra sua história. Até Brasília, a cidade escultura que afastou os políticos do povo, com seus parcos cinquenta e poucos anos de vida, tem lá seu mito de criação, que busca cultivar na esperança de que vire tradição.

Na verdade, verdade mesmo, não acredito que tenha sido intencional o abandono da nossa história. Foi erro de percurso, consequência de trauma sofrido. O Rio foi capital por tanto tempo que esqueceu como era ser só Rio. O Rio foi tantas coisas diferentes no último meio século – Distrito Federal, Estado da Guanabara, capital de estado –, teve tantas mudanças a ele impostas sem que jamais fôssemos consultados, os cariocas. Fomos cenário da história do Brasil tantas vezes que deixamos de reparar naquilo que nos fazia únicos.

Depois que tudo mudou, que a mudança da capital passou, que a ditadura nos maltratou com sua mão grande, rude, levantamos desajeitados para compreender em que havíamos nos transformado. Um novo estado que jamais havia existido unindo a cidade ao interior, um processo de favelização já intenso, uma política que perdera seus grandes nomes e o fisiologismo eleitoral, que sempre fora latente, consolidado. Tínhamos que recriar uma identidade, e esta veio meio improvisada, nesta celebração da paisagem natural e do passado imediatamente anterior à ditadura.

O Rio é muito mais do que imaginamos.

Há um novo momento econômico, uma política que, se ainda viciada, começa a dar sinais de que uma coisa ou outra começa a se ajeitar. Para mudar, precisamos antes entender como nos formamos. A intenção deste livro é contribuir nesse processo.

Em março de 2011 me mudei de volta ao Rio após cinco anos longe. Na redação de *O Globo* me reencontrei com este antigo encanto, acompanhando o dia a dia da cidade. Uma cidade tão melhor do que esteve por tanto tempo, uma cidade novamente esperançosa. À rotina, incorporei um passeio matutino com meus filhos caçulas, Tomás e Felipe, pelas redondezas do apartamento em que vivíamos, no Jardim Botânico. Não raro, incluía no trajeto o pequeno muro com arcos ao fundo da rua Itaipava, no alto da rua Faro. Foi erguido por ordem de Martim de Sá entre finais do século XVI e início do XVII. Discreto e ainda sólido, talvez ignorado por muitos de seus vizinhos.

Cá comigo, não sei passar por ali sem um sorriso ligeiro de quem o reconhece. É, como digo para os meninos, "o muro do Martim".

Quando publicou sua *História de Roma*, o jornalista italiano Indro Montanelli logo alertou seus leitores: escrevi para aprender. Este livro nasce com o mesmo espírito. Escrevi para aprender esta história. Não é livro de historiador. Não há pesquisa inédita nos arquivos. Não há conclusões ou interpretações inovadoras. O que há é uma sincera tentativa de contar uma história bem-contada e recuperar essa tradição que já existiu: uma crônica sobre o que a cidade foi e como veio a ser o que é.

É livro de jornalista: quer dizer, atenho-me aos fatos. Se o leitor encontrar diálogos entre aspas, é porque eles foram registrados em carta por testemunhas. Quando se deparar com a descrição do tempo – como estava o sol, a lua, como foram as chuvas –, é porque também disso houve registro.

Este livro conta a história do Rio no tempo dos Sá: os mil e quinhentos e seiscentos. É o Rio antigo mais antigo que há. Mas o leitor atento logo perceberá pelo menos dois traços que os cariocas têm em comum com quem viveu aquele período.

Um tem um quê de triste. É a tensão entre o cosmopolita e o provinciano. Desde o início, o Rio teve a oportunidade de ocupar papéis importantes na geopolítica do Brasil e do mundo. E, desde cedo, políticos muito menores que a cidade, cegos em suas preocupações comezinhas, paroquiais, impuseram uma âncora pesada à "mui leal e heroica" cidade de São Sebastião.

O segundo ponto é algo que só cariocas, nascidos e adotados, logo entendem: são os morros, o sol, as águas e o vento sudoeste.

Foi uma amiga paulistana que um dia me observou: "Vocês, cariocas, seguem o tempo; quando chove, amarram a cara e, quando é dia de sol, se fazem felizes." A sensação daquele primeiro sol e céu azul lá por 10 de novembro sempre me desperta uma vontade de chope, de sentar vendo as meninas passando, de celebrar o viver carioca.

Sou um carioca que gosta (muito) de São Paulo. Ainda assim, no período em que vivi lá, era quando pousava no Santos Dumont em dia de sol, após o piloto fazer a curva pelo Pão de Açúcar, que mais doía a distância de casa. Que paisagem linda. E mesmo a melancolia dos dias de chuva e o cheiro de terra molhada do Jardim Botânico parece que fazem parte do equilíbrio necessário para que não nos afoguemos na exuberância tropical. Sol e chuva, cuja presença é decidida pelo sudoeste, ditam nosso ritmo interno como o inspirar e o expirar, a sístole e a diástole. Mesmo quando não percebemos, nossa vida no Rio é ditada pelo sol e pela chuva.

E assim foi desde os primeiros dias. Aqueles primeiros cariocas eram muito mais católicos do que somos hoje. Muito mais brutalizados, mais violentos. Falavam tupi mais do que português. Viviam num ambiente de mata aberta, ameaçadora. Viviam para se defender de guerras, pois, ora era um navio francês, ora um holandês, sempre havia alguém prestes a atacar a cidadela. Tinham medo de doenças. Viviam do tráfico de escravos. Não tinham favelas, mas, em compensação, eram quase todos pobres e, é possível arriscar dizer, viviam em sua maioria pior do que se vive nas favelas de hoje. Ainda assim, quando tinham oportunidade, registravam o tempo. Registravam quando chovia, quando fazia sol. Falavam de dias bonitos como nunca haviam visto antes nos cantos de onde vinham. Descrevem um Rio que reconheceríamos de presto.

Uma cidade bonita assim não serve para esquecer.

UM EXERCÍCIO DE IMAGINAÇÃO

O Brasil já tinha vivido duas vidas quando a família real portuguesa rompeu a barra da Guanabara, em 8 de março de 1808. A escolha do Rio não foi à toa. A capital da colônia brasileira era a cidade mais rica do futuro país e, embora não tivesse ainda a alma cosmopolita de Lisboa, não havia outra cidade que pudesse se aproximar duma capital de império na América do Sul. Uma cidade de porte razoável e alguma infraestrutura, tudo erguido na segunda vida da colônia, que começou com a descoberta de ouro nas Minas Geraes. Aquela chegada determinou o futuro do Rio, deixou a marca do sotaque chiado e o sentir-se parte relevante do mundo.

Nos primeiros dois séculos de Brasil, porém, a história foi outra. A capital era Salvador e o centro financeiro instalou-se nos fartos engenhos de açúcar do Nordeste. Antes ainda, no início, bem em seu início, a história do Brasil foi fruto de um Portugal confuso, numa Europa perdida, num mundo turbulento. Em 1500, a máquina de produzir livros inventada por Johannes zum Gutenberg, que educou a primeira geração de não nobres, tinha 51 anos de idade, mas só se popularizara uma década antes. Leonardo da Vinci pintara sua *Última ceia* fazia dois anos e a *Mona Lisa* ainda não era esboço. Faltavam ainda oito anos para Michelangelo Buonarroti iniciar seu trabalho na capela Sistina. No Vaticano, o papa era o espanhol Alexandre VI: Rodrigo de Borja, o pai de Lucrécia e cujo nome, vertido para o italiano, entraria para a história como Borgia.

O BRASIL NÃO ESTAVA ENTRE AS PRIORIDADES DO REI PORTUGUÊS MANUEL I, O VENTUROSO. NA EUROPA, A "PIMENTA DA ÍNDIA" SAÍA POR VINTE VEZES O PREÇO PAGO NO PORTO DE KOZHIKODE. O BRASIL NÃO OFERECIA NADA, PRÓXIMO DISSO.

O Brasil descoberto por Cabral não estava nem de perto entre as prioridades do rei português Manuel I, o Venturoso. Ao deixar aquela terra selvagem recém-descoberta, em maio de 1500, o almirante de presto retomou sua viagem para Kozhikode, Calicute, a "cidade das especiarias" descoberta por Vasco da Gama em 1498. Descoberta em termos. Com já cinco séculos de idade, Kozhikode, no litoral sudeste da Índia, era frequentada fazia muito tempo por mercadores árabes. A viagem de Cabral era a segunda feita pelos portugueses àqueles cantos. Talvez tivesse, inicialmente, objetivo diplomático. Mas terminou em guerra, com dez navios árabes apreendidos e várias centenas de mortos. Nas duas décadas seguintes, a disputa entre portugueses, árabes e hindus pelo comando do porto seria intensa. O prêmio era a exclusividade de fornecimento para toda a Europa.

Não por menos. Transportada para a Europa, a "pimenta da Índia" saía por vinte vezes o preço pago naquele porto.[1] E os portugueses, que passaram a atravessar o oceano duas vezes por ano com naus de 1.600 toneladas, tinham como impor preços bem mais eficientes do que os árabes, já atrasados na tecnologia naval. O Brasil não oferecia nada próximo disso. No mapa do mundo sobre o qual d. Manuel se debruçava naqueles primeiros anos do século XVI, os destaques eram Malabar, a região da Índia onde ficava Kozhikode; a Guiné, atual Guiné-Bissau, de onde tirava ouro e escravos desde 1474; e o reino de Fez, atual Marrocos.[2]

Embora a expulsão dos mouros da Península Ibérica só tivesse se completado em 1492, Portugal já estava sob pleno comando católico desde 1249. Conflito resolvido na Europa, os lusos avançaram sobre o norte da África para expandir. Em 1415, conquistaram a cidade de Ceuta. Nas décadas seguintes, Azamor, al-Qasr al-Seghir, al-Qasr al-Kebir, Tangier, Asilah e finalmente Safi, em 1488.[3]

Em 1511, a contínua exploração levou os portugueses às al-Muluk, um conjunto de mil ilhas nos arredores da In-

---

[1] FURTADO, Celso. *Economia colonial no Brasil nos séculos XVI e XVII.*

[2] A Guiné era tão conhecida pelo seu ouro que a primeira moeda britânica cunhada por máquina, lançada em 1663, se chamava "guinea". Valia 1 libra esterlina.

[3] Nos livros de história portuguesa, Alcácer-Quibir, onde o futuro d. Sebastião se perderia.

donésia, como a Índia ricas em especiarias. D. Manuel não foi apelidado de Venturoso à toa. Teve sorte e boas notícias em todo seu período no governo. E, de todas, nenhuma notícia tinha menos valor do que aquela que chegou em forma de carta assinada por Pero Vaz de Caminha dando conta da terra em que "em se plantando, tudo dá".

Os tupis a chamavam ibirapitanga ou ibirapiranga. Ybyrá, árvore, com Pyrãna, vermelho. Árvore vermelha. *Caesalpinia echinata*: alta, sobe longe quinze metros em tronco reto. Leguminosa da Mata Atlântica. Nos 1500, era farta do litoral carioca ao sergipano. Os franceses diziam ser *brésil*. Cor de brasa. Pau-brasil. Dava tintura vermelha. A que vinha do Oriente tinha qualidade melhor. Mas, ainda assim, aquela do Novo Mundo podia render até seis vezes o custo de extração e produção no mercado europeu.

Não chegava ao nível de rentabilidade das especiarias orientais: d. Manuel terceirizou o Brasil a um grupo de mercadores que de presto mandaram à Terra de Santa Cruz uma expedição de quatro navios. Percorreram o litoral nordestino se carregando de pau-brasil. Descobriram um processo trabalhoso e demorado que precisava doutra fórmula para fazer sentido.

Em junho de 1503, a terceira expedição desde a descoberta partiu para o novo país com seis navios. Tinha duas missões. Para dar conta da primeira, levava a bordo o cartógrafo florentino Américo Vespúcio. Ele ia mapear a costa para convencer os castelhanos de que a terra pertencia a Portugal à luz do Tratado de Tordesilhas. Por conta da segunda, largaram um certo João, originário de Braga, em terra, no Cabo Frio. Trabalharam cinco meses ali para erguer um armazém e com o feitor João deixaram mais 24 homens e 12 canhões. A primeira habitação portuguesa no continente foi a feitoria de Cabo Frio.

Em troca de bugigangas europeias, os índios cortavam as árvores em toras de 1,5m, cada qual pesando uns 30kg. Não adiantava cortar árvore com menos de 50cm de diâmetro, e a densidade na mata era pequena: quatro árvores por hectare (10.000m^2). Na segunda metade do século XVI, já era preciso se afastar 20km do litoral para achar alguma que valesse o corte. No primeiro século, o equivalente a 6.000km de mata atlântica foi dizimado na exploração do pau-brasil.[4]

Cortadas as toras, naqueles primeiros anos as transportavam à mão para a feitoria e as iam empilhando. De tempos em tempos, um navio passava e carregava tudo. De Lisboa, a madeira era enviada para Amsterdã, onde prisioneiros a transformavam em pó. O trabalho de quatro homens em um dia rendia um quintal de serragem na medida da época: 60kg que valiam 3,5g de ouro, US$ 875 em dinheiro atual.[5] Parece pouco, não é. Em 1531, os portugueses interceptaram uma única nau, a francesa *La Pèlerine*, na costa de Pernambuco. Carregava 300 toneladas de pau-brasil, 3.000

[4] PINTO, Angelo C. *O pau-brasil e um pouco da história brasileira.*

[5] PINTO, Angelo C. op. cit.

peles de onça, 600 papagaios, 300 micos, algodão e algum ouro. Em dinheiro da época, 62.300 ducados. Aproximadamente US$ 375 milhões em 2012.[6]

Para o Portugal de d. Manuel, o Venturoso, o Brasil era pequeno perante o mundo. Mas não para os mercadores franceses que logo se tornaram tão íntimos dos tupis quanto os descobridores da terra.

Sorte, por certo, não é a melhor palavra para descrever as quase quatro décadas do reinado de d. João III, que sucedeu ao pai em 1521 e viu morrer, um por um, cada qual de seus dez filhos, antes de ele próprio perder a vida, aos 55, em 1557. Nos livros portugueses de história mais generosos ele é d. João, o Piedoso. Católico em tempos de Reforma, foi quem espalhou os primeiros jesuítas pelo mundo. Para os que fazem uma leitura mais heroica, é d. João, o Colonizador. Estendeu a presença portuguesa na Índia a Mumbai, implantou a primeira colônia europeia na China, em Aomen (Macau), e alcançou Nagasaki, no Japão. Só não é conhecido pelo adjetivo que lhe seria mais adequado: d. João, o Pragmático.

O mapa do mundo sobre o qual se debruçava era muito distinto daquele que seu pai tinha à frente, em 1500. E a Europa se transformara radicalmente. Transformara-se

---

[6] FURTADO, Celso op. cit. A conversão do valor para 120 milhões de francos de 1948 é de Furtado. A correção dos francos de 1948 para dólares atuais foi feita com tabela do FED, banco central americano.

porque a Igreja Católica não tinha mais o monopólio do cristianismo. Mas se transformara, também, porque d. João III calhou de ser contemporâneo de alguns dos monarcas mais fascinantes da história. Na Inglaterra, Henrique VIII, o primeiro rei a romper com o papa, homem que decapitou dezenas de nobres, incluindo-se aí duas de suas seis mulheres, e fundou uma religião. E, ainda mais notável, Carlos da Áustria.

Pelo lado materno, Carlos era neto de Fernando II de Aragão e Isabel I de Castela. *Los reyes católicos*, o casal de príncipes que expulsou da Ibéria os últimos mouros para reunir Catalunha, Castela, León e Granada, fundando a Espanha. Os reis que contrataram o genovês que chamavam Cristóbal Colón (que aqui conhecemos como Cristóvão Colombo) para descobrir as Américas. Pelo lado paterno, Carlos era neto de Maximiliano I, sacro imperador romano, que à sua morte, em 1519, governava uma região que incluía os atuais territórios de Áustria, Alemanha, Luxemburgo, Suíça, Bélgica, Holanda, além de pequenas partes das atuais França e Itália. Carlos não teve apelidos: somente Carlos V, que comandou em vida os incríveis territórios de seus avós maternos e paternos reunidos. Um dos monarcas mais poderosos da história europeia.

O Portugal de d. João III: esmagado entre um gigantesco império e o Atlântico. Noutros tempos, d. João, o Colonizador, partiria para o ataque contra Francisco I da França, que não controlava seus súditos, dedicados ao contrabando no Brasil. Mas ele tinha algo em comum com o rei francês. Também Francisco reinava esmagado pelo Sacro Império. A ambição de Carlos V era menos conquistar o pequeno

Portugal e mais engolir a França. A política de d. João não poderia ser outra que não muita diplomacia, na qual fazia um jogo duplo, sem jamais apoiar claramente um ou outro. Enquanto a França existisse, Portugal teria segurança. Daí, uma constante troca de gentilezas por cartas com o francês e continuadas apreensões de navios na costa tupinambá.

Os problemas do jovem rei português não se limitavam à Europa. Em 1516, os otomanos conquistaram o Cairo, atual Egito, à época capital do Império Mameluco. Se d. Manuel tinha planos de seguir a expansão marroquina na direção do Egito para chegar a Jerusalém, controlando assim o trecho final da rota das especiarias, isso não seria tão fácil para seu filho. Afinal, avançando contra os territórios portugueses no norte da África estava um monarca com terras ainda mais vastas do que as de Carlos V. Suleiman I, sultão do Império Otomano, guardião das mesquitas sagradas, califa do Islã e, principalmente, Amir al-Mu'minin: o comandante de todos os fiéis, sucessor do Profeta na Terra. Ao fim da vida, em 1566, Suleiman, o Magnífico, controlaria um território que incluiu todo o Oriente Médio, o norte da África, Turquia, Grécia e Croácia, encostando na Áustria.

No Marrocos, já não havia mais avanço possível: dali por diante se limitaria a segurar território. Com tanta distância, uma guerra de conquista ao extremo oriente seria impossivelmente cara e provavelmente desnecessária: indianos, chineses e japoneses desejavam comércio. Debruçado sobre o mapa que pintava um mundo tão diferente daquele em que seu pai viveu, d. João só encontrou um espaço para movimento livre. O Atlântico Sul. A leste, a África subsaariana. A oeste, o Brasil.

Quando d. Manuel morreu, no Brasil havia feitorias, mato e mais nada. D. João deixou sete cidades e meia. A primeira nasceu em 1532: São Vicente. Daí, naquela década, Porto Seguro (34), Vila do Espírito Santo (35) e Olinda (37). Em 1543, Santos. Em 1549, Salvador. Em 1551, uma meia cidade: refundou-se um pouco adiante a Vila Nova do Espírito Santo, cansada que a anterior estava dos ataques tupis, criando a dobradinha que hoje chamamos Vila Velha e Vitória. Em 1554 nasceu São Paulo.

A RENASCENÇA NÃO CRIOU APENAS UMA GERAÇÃO DE LEITORES NÃO NOBRES E BOA ARTE. ELA REINVENTOU A ECONOMIA AO CRIAR UMA NOVA CLASSE COM PODER DE CONSUMO. ENTRE 1530 E 1550, OS PORTUGUESES CONSEGUIRAM AUMENTAR A PRODUÇÃO DE 5.000 PARA 150.000 ARROBAS DE AÇÚCAR POR ANO.

No litoral do país, são pontos espalhados. Aí, no penúltimo ano de seu reinado, de repente: uma cidade no interior. No alto do planalto. Olhada isoladamente parece que é a história do Brasil, que todos aprendemos na escola mais ou menos igual, e só. Mas veja-se o mapa que d. João tinha em sua mesa e logo salta a constatação. Como é diferente a história do Brasil quando comparada à de todas as outras colônias portuguesas. Como é ímpar. A distribuição de cada uma destas cidades conta uma história de estratégia militar. Conta uma história econômica. Conta, principalmente, que o país no qual vivemos é fruto da imaginação de quem governou Portugal entre 1530 e 1555.

O Brasil nasce como exercício de imaginação.

Só de pau-brasil não dava para ser: trabalho demais para dinheiro de menos. Forçado a investir na estratégia do Atlântico Sul, d. João trouxe os fatos que tinha à mesa. Os franceses, que a seu ver não tinham direito à terra, continuavam dedicados ao contrabando. Se continuasse fácil o acesso ao Brasil, perigavam tomar a iniciativa de erguer colônia, tomar posse de terras, e aí o trabalho de expulsão seria muito maior. Talvez impossível. E os espanhóis, que tinham direito a parte da terra, frequentavam com crescente intensidade a foz do rio da Prata, muito perto da fronteira com a América portuguesa. Tinham motivo para isso: sinais fortes da existência de ouro e prata. Se estivessem certos, se houvesse mesmo metal precioso ali na fronteira e os espanhóis dominassem rápido a extração, também neste caso os portugueses se arriscariam a não ter nada.

O primeiro alvo do rei, portanto, havia de ser duplo. Proteção do território e investigação geológica. Em 1530, quatro naus comandadas pelos irmãos Martim Afonso e Pero Lopes de Sousa chegaram ao Brasil trazendo 400 homens. Navegaram pela costa combatendo franceses, desceram ao Prata investigando e subiram de volta um pouco ao norte. Aí saltaram à terra e fundaram a vila de São Vicente, logo na sequência realizando a primeira eleição das Américas para formar a Câmara Municipal.

Se é verdade que as primeiras histórias de ouro e prata no Brasil vieram mais ou menos dali, também é verdade que encontrar metal precioso era uma aposta. Só isso. E, por muito tempo ainda, pareceria ser mesmo não mais que sonho. Atento aos fatos que tinha, e nada mais do que eles, d. João precisava de um segundo plano. E este nasceria dum já longo exercício em pequena escala que Portugal conduzia nas ilhas da Madeira, no Atlântico, e de São Tomé, na África: a produção de açúcar.

Em seu testamento, Joana de Bourbon, viúva do rei Carlos V da França, deixou, em 1378, 14kg de açúcar para seus herdeiros.[7] Coisa para reis. Durante a Idade Média, os árabes traziam o refinado até seus portos onde os mercadores de Veneza compravam para redistribuir na Europa. No final do século XV, com a produção na Madeira já avançada, os portugueses ganharam o mercado europeu. Até a época do descobrimento do Brasil, o preço caíra muito. Mas a Renascença não criou apenas uma geração de leitores não nobres e boa arte. Ela reinventou a economia ao criar uma nova classe com poder de consumo. Se havia por um lado maior oferta, a demanda também crescia a passos largos.

Em São Tomé, os indícios eram fortes de que a produção em grande escala poderia ser possível. Entre 1530

[7] FURTADO, Celso. op. cit.

e 1550, com a ajuda de novas tecnologias e mão de obra escrava, os portugueses conseguiram aumentar a produção de 5.000 para 150.000 arrobas de açúcar por ano.[8] Mas São Tomé era só uma ilha, e a África, complicada. O esforço para conquistar território no continente era árduo. Os povos negros talvez não tivessem tanta tecnologia de guerra quanto os europeus e os árabes, mas não estavam de forma alguma indefesos. Os tupis eram poucos, nômades, e pareciam, ao menos no início, dispostos a cooperar.

Porto Seguro, Olinda e Salvador nasceram por causa do massapé. É o nome dum solo único: granito decomposto em terra tropical. Úmido parte do ano, aí depois seco. Alta concentração de argila. Muito escuro, quase preto. E vasto. Ocupa todo o litoral nordestino. Fértil. Em que se plantando, tudo dá. Se a miúda São Tomé já indicava o potencial da indústria, entre o Recôncavo baiano e o litoral de Pernambuco nasceria o mais ambicioso projeto de indústria agrícola jamais empreendido por europeus.

Todos os grandes esforços portugueses no além-mar estavam voltados para o comércio, para que fossem os intermediários de venda. No Brasil, controlariam todo o processo: da semeadura à colheita, da produção ao transporte e à venda no destino final. Enquanto as cidades no litoral sul serviam de defesa e ponta de lança para buscar ouro, no norte fariam algo jamais feito. E podiam contar com a África para fornecer escravos. Por não estar pronto, por ser virgem, o Brasil teve de ser inventado.

---

[8] BOXER, Charles R. *O império marítimo português — 1415-1825.*

No reino de d. João sobrou, porém, um ponto fora da curva. Uma cidade diferente que não estava à beira-mar. São Paulo.

Entre 1534 e 36, d. João dividiu o Brasil em doze capitanias hereditárias, tentando convencer gente com dinheiro, ambição e pequeno título de nobreza a povoar a terra. Só duas, Pernambuco e São Vicente, funcionaram. Em 1549, nomeado governador-geral, Tomé de Sousa fundou Salvador e, com ela, uma capitania diferente, sob o comando do próprio rei.

PARA QUE A HISTÓRIA DO RIO OCORRESSE, FOI PRECISO ANTES O ENCONTRO DE QUATRO PERSONAGENS. OS TUPIS, OS PORTUGUESES E OS PAULISTAS. O PERSONAGEM PRINCIPAL É O LUGAR. O RIO NÃO É UMA CIDADE EXUBERANTE. É CIDADE ERGUIDA EM LUGAR EXUBERANTE – E ESSA DISTINÇÃO É ESSENCIAL.

D. João, o colonizador que imaginou o Brasil, morreu em 1557. Não tinha mais filhos. Seu irmão, o cardeal d. Henrique de Évora, era sacerdote. Sem filhos. A viúva, d. Catarina da Áustria, já não tinha mais idade de engravidar. Toda a esperança do reino se concentrava num menino de três anos. D. Sebastião. O Desejado.

Tão desejado que a primeira cidade brasileira fundada após a morte do avô não poderia levar outro nome que não o seu.

Para que a história do Rio ocorresse foi preciso antes o encontro de quatro personagens. Dentre eles estão os tupis, os portugueses e os paulistas. (O Rio, afinal, nasceu para que São Paulo tivesse chance de sobreviver.) O personagem principal é o lugar. O Rio não é uma cidade exuberante. É cidade erguida em lugar exuberante – e essa distinção é essencial. Porque cidade é coisa que nós construímos, enquanto lugar já é dado pela natureza. Falar de cidade maravilhosa faz parecer que construímos algo, o que disfarça a verdade: destruímos um pouco todo dia.

Foi, desde sempre, um lugar estupendo. Todo o Brasil virgem que os portugueses descobriram devia ser muito bonito. Mas, mesmo dentre todos os cantos da imensa costa verde, com todas as índias nuas e os pássaros coloridos, mesmo quando ainda não havia planos de fazer uma cidade ali, os primeiros viajantes sempre reservaram palavras de encanto para descrever aquele canto nos arredores da Guanabara.

Era lugar próprio para construir um forte. Para dentro da baía, uma imensidão. Para fora, uma boca estreita fácil de vigiar por canhões num canto e noutro. Só que não é lugar para metrópole. O resultado é uma cidade grande que ocupa o pouco que há de terra habitável entre a montanha, o mar e as lagoas. Como é inevitável, dada a geografia, produzindo muitos aterros ao longo dos séculos.

É uma cidade que sempre foi desordenada. No início, pelas características de cidade colonial portuguesa onde todo mundo constrói sua casa onde bem quiser, sem ligar para o traçado da rua. Desde o século XVIII há espasmos de urbanismo, tentativas de ordenação que não resistem ao espírito da cidade. Houve surtos de boa arquitetura aqui e ali, tampouco sobreviveram ao ímpeto do morro e do asfalto de construir como quer, onde quer, sem cuidado ou gosto. Basta subir a uma cobertura qualquer de Copacabana, a maior vítima da especulação imobiliária, que foi verticalizada para compensar a falta de espaço. De lá se vislumbra uma paisagem tingida de cinza e de fuligem, marcada por antenas, salpicada por tijolos pintados de vermelho e algumas plantas, piscinas miúdas, tudo sempre muito quadrado, muito disforme. Que cidade feia.

E que lugar bonito, formado ao acaso em tanto tempo.

Cerca de 200 milhões de anos atrás, o continente primitivo de Pangeia se quebrou em três: Laurência, Báltica e o supercontinente sul de Gondwana. Foi no Jurássico, há 167 milhões de anos, que também Gondwana cindiu. Primeiro formando o que seriam Antártica, Austrália, Índia e Madagascar. E, 40 milhões de anos depois, separando África e América do Sul. O pressionar e distender da crosta no empurra-empurra geológico que criou o Atlântico Sul levantou as rochas que seriam as montanhas do Rio. O levante ligeiro do Arpoador e Ipanema, que sobe para dar forma ao Pavão-Pavãozinho, mergulha criando a lagoa Rodrigo de Freitas para novamente subir ao Corcovado. Como uma folha de papel pressionada em ambas as pontas, o Rio todo é esse ondulado da montanha à água com trechos de terra. E como a pressão foi de fora, em círculo, para o centro, o resultado final é esta série de montanhas e vales paralelos em toda a Guanabara.

A mágica, no entanto, ainda não estava feita, pois, diferentemente do resto do litoral brasileiro, as montanhas cariocas não têm escarpas. São redondas. Sinuosas.

De dia faz calor e de noite esfria. Ao longo dos séculos e dos milênios, a variação térmica proporcionou um lento descamamento da rocha no qual as faces com pontas eram sempre mais expostas e, portanto, frágeis.[9] Como a rocha externa se desintegra em milhares de pequenas fraturas, ali se abrem mínimos rios por onde as águas das chuvas escolhem passar. A água hidrata os pequenos cristais da pedra que incham e oxidam, expondo-os mais ao calor, ao frio e à chuva para novamente retornar ao ciclo de uma lenta camada cedendo após a outra. Toda ação física e química, no entanto, não bastaria, pois a rocha do Rio foi lentamente coberta por um organismo ímpar, o encontro de alga com fungo que chamamos líquen. O fungo se alimenta da alga que lhe fornece substância orgânica; a alga, por sua vez, precisa do fungo que armazena água. A excreção desta relação simbiótica são ácidos uniformemente distribuídos pela superfície que dissolvem as rochas mais resistentes.

Um processo físico, químico e bioquímico deu ao Rio suas curvas.

Nessa história de milhões de anos houve tempos de muito calor e outros de muito frio. O nível do mar oscilou com igual intensidade. Houve períodos em que a Guanabara

---

[9] LAMEGO, Alberto Ribeiro. *O homem e a Guanabara.*

foi savana e outros em que o Pão de Açúcar foi ilha. Entre 6 e 5 mil anos atrás, uma área 30 quilômetros longe do litoral estava submersa.[10] Não havia Botafogo, Flamengo, Copacabana, e o grande mar servia de habitat para tartarugas, baleias e golfinhos. O recuo das águas que criou a paisagem atual teve início 3,7 mil anos atrás, mais ou menos no tempo em que os egípcios criavam sua grande civilização. Este mesmo recuo criou uma terra alagada de mangues, lagunas e pântanos que marcariam a paisagem encontrada pelos europeus.

Terra molhada assim faz apodrecer matéria orgânica, gera um caldo fértil que dá origem à exuberância viva, tropical. Mas não deixa fósseis como aqueles da terra seca que mineraliza ossos. Os rastros mais antigos de presença humana na Guanabara são os morros calcários chamados sambaquis. Nada mais do que grandes pilhas de conchas reunidas ao longo dos anos por uma gente pré-histórica, o homem do sambaqui, que vivia de caçar, pescar e colher. Viveram uns 6.500 anos atrás pelo litoral brasileiro.

As pesquisas a respeito da presença do homem nas Américas são ainda inconclusivas. Não é polêmica a ideia de que já estávamos no continente há 12.500 anos. Luzia, o fóssil brasileiro mais antigo, tem 11.500. Há antropólogos, caso da professora Niède Guidon, que coletam indícios para lançar a presença humana no Brasil para além da marca de 45 mil anos. A teoria de migração mais aceita sugere que o homem asiático seguiu o caminho que vai da Sibéria ao Alasca. Hoje, este caminho é mar. Ele foi terra nos três

[10] HETZEL, Bia. *Baía de Guanabara.*

momentos em que a água desceu de nível o suficiente: há 70 mil anos, 30 mil e 13 mil.

Quando os europeus chegaram, o litoral brasileiro todo era terra dos tupis. Há duas teorias que contam a história de sua expansão.[11] Segundo o modelo tradicional, os povos tupi e guarani se separaram na bacia do rio Paraguai. Os guaranis ficaram, os tupis seguiram ao norte pela costa. O modelo novo sugere um caminho diferente. Os dois povos teriam se separado ainda na origem amazônica, num tempo mais antigo. Os guaranis seguiram ao sul pelo interior do continente até se estabelecer na bacia do Paraguai. Os tupis, por sua vez, desceram o Amazonas até a foz e ocuparam toda a beira-mar no período entre os anos 700 e 1200, meros três séculos antes de Cabral. Já havia tupis no Rio por volta do ano 1000.

Dividiam-se em aldeias com algo entre 500 e 2.000 pessoas. Eram guerreiros e antropófagos – comiam inimigos na certeza de que pela digestão herdariam suas forças e qualidades. Aldeias vizinhas aliavam-se contra inimigos comuns. Cada aldeia tinha seu chefe, o principal, mas não havia um líder maior para reunir aliados. Combatiam em grupo. Os primeiros portugueses deram a grupos tupis diferentes nomes: tupiniquins, tupinambás, tamoios, temiminós. É fácil contar uma história, como sugerem aqueles primeiros cronistas, na qual tupiniquins eram aliados dos franceses e tupinambás, dos portugueses. Como a história contada neste livro parte do ponto de vista europeu,

[11] FAUSTO, Carlos. Fragmentos de história e cultura tupinambá. In: *História dos índios no Brasil.*

é assim que ela vai. Mas não é claro que os próprios tupis se vissem assim distribuídos em ramos, cada qual com seu nome.

Dentre antropólogos, a visão corrente é de que os europeus aproveitaram-se dos conflitos abertos entre os povos nativos para acirrar divisões e dominá-los. É verdade, mas não é toda verdade. Há outro modo de ver, também, talvez um quê mais otimista, por que os portugueses de Rio e São Paulo se dissolveram em filhos mestiços. Durante os primeiros séculos de colônia, a língua corrente de casa era o tupi, não o português. E o território pelo qual cariocas e paulistas se aventuraram era aquele no qual os tupis os levavam. O português escravizou e matou o tupi no mesmo processo em que se tornava ele próprio tupi. A fronteira entre as Américas portuguesa e espanhola não é Tordesilhas, linha aleatória que um papa inventou. A fronteira é aquele que já separava tupis de guaranis. O português feito tupi que era o brasileiro do Sul simplesmente manteve seu território. Os hermanos ocupam terras guaranis.

Nós, cariocas, somos tupis.

Como somos portugueses. É difícil no encontro de hoje com portugueses nos reconhecermos em sua lógica cartesiana, mas não é apenas o chiado do "s" que temos em comum. Não somos nós, brasileiros, que somos mestiços. Em um continente com tendências xenófobas como o europeu, o português sempre se destacou pela mestiçagem. Aquele trecho na costa atlântica da Ibéria foi ocupado por diversos povos que jamais o deixaram. Foram, lentamente, somando-se a quem chegava.

Primeiro, lá estavam os iberos, um conjunto de povos pré-históricos que habitavam a região.[12] Uns mil anos antes de Cristo chegou por lá uma gente vinda da fronteira entre Suíça e Itália que deixou uma marca profunda na alma portuguesa: os celtas. Tinham armas de ferro e eram melhores guerreiros do que quem já estava ali. Do encontro entre celtas e iberos nasceu o povo que os romanos, mais tarde, chamariam lusitanos. E foram justamente os romanos o terceiro povo a ocupar Portugal. Nos anos anteriores à queda definitiva do Império Romano, o futuro país foi ocupado por três povos bárbaros vindos de regiões tão díspares quanto Cáucaso e a futura Alemanha. Eram os alanos, os vândalos e os suevos. Mas nenhuma ocupação no período pós-Roma foi tão marcante quanto a dos visigodos, que chegaram à península no ano 416 e fundaram sua Idade Média. Seu comando permaneceu intocado até a chegada dos mouros, em 711. Eram um povo muçulmano, de cultura árabe mas de origem étnica berbere, natural do norte do Egito e Marrocos.

ERA DIA DE SÃO PAULO. A PRIMEIRA CIDADE NO INTERIOR DO BRASIL FOI UMA OUSADIA DE NÓBREGA. PELA PRIMEIRA VEZ, NÃO SE VIA A TERRA PELO PONTO DE VISTA EUROPEU: O DE QUEM VEM PELO MAR E MIRA SÓ A COSTA.

Um passeio por Lisboa revela, às vezes na mesma família, todos estes fenótipos. A pele morena-jambo, o rosto redondo e os olhos amendoados dos celtas; os cabelos lou-

[12] SARAIVA, José Hermano. *História concisa de Portugal.*

ros e os olhos muito azuis dos visigodos; a pele clara, a cara comprida, os olhos miúdos e o cabelo tingido de negro, muito negro, dos berberes. O cabelo castanho e ondulado que forma anéis à testa onipresente em todas as estátuas da elite romana. A língua latina. Os espanhóis, igualmente ibéricos, igualmente tantas vezes invadidos, resistem, reiteram suas nacionalidades. Os portugueses absorvem, contemporizam. Na Espanha, muita gente ardeu nas fogueiras da Inquisição. Em Portugal, convertia-se só pela aparência: cristãos novos. Um jeitinho. Não é à toa que na América espanhola derramou-se sangue e, na portuguesa, fez-se mestiça. E, provavelmente, tampouco é à toa que a América espanhola se espatifou em inúmeros países enquanto que o Brasil permaneceu um só.

No Sul, onde durante alguns séculos não havia dinheiro suficiente para comprar escravos africanos, o Brasil era tupi e português.

E, nos primeiros anos, ninguém era mais tupi e português do que os de São Paulo.

São Paulo de Piratininga nasceu quando o padre Manuel da Nóbrega, o irmão José de Anchieta e mais nove sacerdotes jesuítas inauguraram uma pequena construção de taipa que fazia o duplo papel de colégio e igreja, em 25 de janeiro de 1554. Era dia de São Paulo.

Mas antes do colégio dos Jesuítas houve o velho João Ramalho. Tinha 20 anos quando naufragou no litoral paulista, em 1513, para nunca mais voltar a Portugal. Morreu aos 87. Adotado pelos tupis, virou um deles. Enquanto tupi, teve dezenas de filhos com dezenas de filhas dos principais de aldeias diversas, seguindo o costume para selar alianças. Mas jamais deixou de ser português e, durante as décadas seguintes, aproveitou as alianças para criar com os filhos – quase um exército de filhos – inúmeros entrepostos comerciais para abastecer as naus mercantes que vinham ao novo mundo.

A família não vivia só de comércio. Fazia de outros índios escravos. Lutava nas guerras tupis com a brutalidade que cabia. Quiçá Ramalho até comia gente.

A aliança íntima que ele havia estabelecido com algumas tribos facilitou o acesso português e a fundação da cidade. Uma cidade diferente de Salvador, São Vicente ou outras fundadas pelos portugueses. Era mais aldeia do que europeia, exatamente como a queriam Nóbrega e Anchieta. Foi uma empreitada dos jesuítas. Eram padres da Contrarreforma, pragmáticos. Casaram Ramalho com Bartira, filha do principal da aldeia de Piratininga, Tibiriçá, e batizaram ambos chamando uma Isabel Dias e o outro, Martim Afonso. Fizeram vista grossa para as outras mulheres e os outros filhos. O português aventureiro, veterano das terras brasileiras, abria as portas para a criação de um colégio onde os jesuítas doutrinariam os nativos. Era sua principal missão.

A primeira cidade no interior do Brasil foi uma ousadia de Nóbrega. Ela seguia a estratégia de d. João para se bem posicionar na busca do ouro. Mas, novo salto de imaginação: pela primeira vez, não se via a terra pelo ponto de vista europeu: o de quem vem pelo mar e mira só a costa.

Se parece óbvio hoje, não é. Antes é preciso se colocar nas sandálias do velho jesuíta: um europeu estudado, sábio, com toda a carga de uma cultura avançada nas costas frente ao índio que mal havia chegado à tecnologia do plantio de comida. Que não dominava o uso de metal e tinha ferramentas de pedra. Os tupis estavam na Idade da Pedra. Mas aquele velho jesuíta, aqueles padres jesuítas, foram além e viram mais: que a gente natural dali entendia aquela terra. Sabia suas manhas. Para dominar o Brasil era, antes, preciso se fazer tupi. E, em São Paulo, eles o fizeram. A cidade nasceu na rota do Peabiru, o caminho índio que ligava litoral ao miolo do continente. No futuro, a intuição de Nóbrega se mostraria definidora do Brasil que veio a existir.

Mas tão logo São Paulo nasceu, foi imediatamente vista como ameaça pelos índios inimigos. Aliados dos franceses. Sediados na Guanabara. Os ataques à pequena cidade e aos engenhos vizinhos eram violentos. Numa guerra tupi, só um poderia sobreviver.

UMA FÉ, UMA LEI, UMM REI

No início, eles foram felizes. Foi num domingo, 10 de novembro, 1555, que os dois enormes navios, 200 toneladas cada, mais um barco com mantimentos, cruzaram a boca da Guanabara, saudando o novo mundo com bandeirolas coloridas presas às cordas e tiros de canhão.[1] Os homens a bordo estavam cansados. Muitos tinham feridas pelo corpo, outros traziam febres, quase todos famintos. Quatro meses em alto-mar desde o porto de Le Havre, às margens do rio Sena, com escala forçada em Dieppe, na Normandia.

À sua frente viam agora a paisagem mais próxima do paraíso bíblico que poderiam imaginar. Depois da Europa fria, reprimida e pobre dos mil e quinhentos, estavam perante a exuberância natural do Rio, as índias nuas na praia. Cobrindo os morros, um verde tão intenso que brilhava reflctindo o sol, o céu azul-azul do verão que se aproximava e vez por outra, nascidos das matas, enormes picos

[1] MARIZ, Vasco; PROVENÇAL, Lucien. *Villegagnon e a França Antártica.*

arredondados. "A terra circundante é cortada por belos riachos de água doce, água das mais salubres que já bebi" escreveria para seus amigos Nicolas Barré, piloto da frota, naqueles primeiros dias.[2] "Durante o verão, todas as tardes chove e troveja durante três horas; no restante do dia faz, como dizem os nativos, o mais belo tempo do mundo." Os franceses chegavam com a intenção de ficar.

Vendo os navios se aproximarem, os tupinambás ganharam o mar com suas longas canoas para dar as boas-vindas. Os franceses não lhes eram estranhos. Navios apareciam com frequência por ali. E um ou outro normando de cabelos louros e barbas espessas, a pele vermelha de sol, já vivia entre eles – e serviriam de intérpretes para os colonos que chegavam.

Para comemorar o momento, mas também porque era domingo, o padre franciscano André Thevet – em sua terceira viagem ao Brasil – juntou os capitães e oficiais na nau que transportava Nicolas Durand de Villegagnon para rezar uma missa. Não demoraria mais que um par de meses até que batizassem a terra ao redor daquela baía de França Antártica e fizessem de Villegagnon seu vice-rei.

Mais ou menos com o batismo da terra, começaria um longo pesadelo.

Nicolas Durand tinha um quê de dom Quixote. Não porque, à semelhança do personagem de Cervantes, fos-

[2] FRANÇA, Jean Marcel Carvalho. *Visões do Rio de Janeiro colonial.*

se louco do tipo que ataca moinhos. Villegagnon não era louco – era até bastante lúcido e razoavelmente hábil politicamente. Mas, como o cavaleiro da Triste Figura, ele era um homem medieval em tempos de Renascença. Apesar do humanismo que florescia das descobertas e refletia nas artes, não foi época menos religiosa. Foi mais. De uma religiosidade intensa, sofrida, que nas igrejas louvava Deus no altar e o Diabo, de forma talvez inconsciente, em sessões de tortura bárbara nos porões inquisitórios.[3]

Villegagnon, um homem barbado, nem alto, nem baixo, culto, vaidoso – levou para o Brasil roupas coloridas, uma cor para cada dia da semana – era rígido. Não aceitava mudanças. Conservador. Conviveu muito próximo de grandes homens de seu tempo e teve tudo para ser um dos protagonistas da história. Por causa da intransigência, foi coadjuvante. Ao chegar no que seria a primeira colônia francesa nas Américas, tinha 45 anos.

Até então, 45 anos bem-vividos. Formou-se em direito e teologia na Universidade de Paris, na primeira metade da década de 1530. Lá, foi colega de Calvino, santo Inácio de Loyola e são Francisco Xavier.[4] Foi um período de ruptura, na universidade. Ao deixar as salas de aula, João Calvino exilou-se em Genebra, na Suíça, renunciou à Igreja Católica e fundou sua Igreja Reformada. No mesmo ano, 1534,

---

[3] ARMSTRONG, Karen. *Uma história de Deus*.

[4] Seu relacionamento com Calvino é bem-documentado, mas o com os santos jesuítas, não. No entanto, os quatro estiveram nos mesmos cursos da Universidade de Paris na primeira metade da década de 1530. Só podem ter se conhecido.

santo Inácio e são Francisco também deixaram a escola para fundar o que seria a Sociedade de Jesus, inaugurando a Contrarreforma, o movimento de resistência da Igreja Católica.

Nicolas Durand também deixou a universidade para encontrar-se com Deus. Mas, seguindo seu temperamento, a sua foi uma opção conservadora. Em 1531, Villegagnon chegou à ilha de Malta para juntar-se aos cavaleiros cruzados em decadência. Um cavaleiro de Malta. Durante toda a Idade Média, os cavaleiros Templários, soldados sacerdotes que faziam voto de castidade qual padres, estiveram no centro da estratégia do Papa. Para Roma, conquistaram Jerusalém dos muçulmanos. Só que já não era mais assim. Desde 1522 tinham sido expulsos da Terra Santa, e sua enorme influência se perdia um pouco mais a cada ano. Na Europa em que Reforma e Contrarreforma se chocavam para criar a modernidade, Villegagnon escolheu viver as tradições do passado.

Para piorar a confusão, num tempo em que os estados nacionais começavam a se formar e o feudalismo a ser enterrado, os cavaleiros de Malta eram uma entidade multinacional que respondia ao imperador de Espanha e do Sacro Império Romano Germânico, Carlos V – um inimigo dos franceses. Em Argel, na África, e ao lado do almirante genovês Andrea Doria, no Mediterrâneo, Villegagnon aceitou ordens daquele que era o principal inimigo de seu país. Foi ao lado de Carlos V que combateu o principal inimigo dos católicos, Ain et-Turk, o lendário Barba Ruiva.

Seria tudo claro como água – na França, luta-se pela pátria; entre os Templários, luta-se contra os muçulmanos em nome da Madre Igreja. Mas Lutero, e depois Calvino, mudaram por completo este jogo. Recém-saído da juventude, Villegagnon foi parar num mundo em que as coisas ganhavam sutilezas. Sacrílegos e hereges já não eram apenas aqueles de pele morena que falavam línguas exóticas. Agora estavam entre os europeus. Sua França natal não lidava mais apenas com os inimigos externos – a divisão religiosa separava os franceses de casa em casa, rompia vizinhos, e, não demoraria muito, afetaria a política.

RECÉM-SAÍDO DA JUVENTUDE, VILLEGAGNON FOI PARAR NUM MUNDO EM QUE AS COISAS GANHAVAM SUTILEZAS. SACRÍLEGOS E HEREGES AGORA ESTAVAM ENTRE OS EUROPEUS.

Licenciado da Ordem dos Templários, Nicolas Durand de Villegagnon foi servir na corte de seu rei, Henrique II. Sua habilidade militar já era reconhecida em casa e, conforme os protestantes avançavam para tomar o poder na Escócia, o rei francês lhe confiou a missão de resgatar a menina Maria Stuart, herdeira católica do trono nas *highlands*. O sucesso lhe valeu o cargo de vice-almirante da Bretanha, onde cuidou das fortificações do porto de Brest.

Villegagnon era intempestivo, sujeito a drásticas mudanças de humor, autoritário. Na Bretanha, chocou-se com a burocracia local. Mas, em Paris, na corte, seguia benquisto. A menina escocesa que ele salvou casou-se com o príncipe delfim, futuro rei Francisco II. Assim, o cavaleiro de Villegagnon ganhou dois protetores íntimos da família real. Um, o cardeal de Lorena, irmão do duque de Guise. Os irmãos Guise estavam entre os homens mais ricos da França e financiavam as campanhas militares do país. Seu outro protetor foi o almirante Gaspard de Chatillon, conde de Coligny, mais importante conselheiro militar do rei Henrique II.

Naquele tempo, por volta de 1550, a corte francesa ainda era toda católica escorreita como Nicolas Durand. Tudo parecia tranquilo. Estável. Alienado e sem perceber a convulsão religiosa que estava por vir, favorecido na corte porém insatisfeito em Brest, o cavaleiro de Malta procurava uma nova missão. Havia de ser algo grandioso. Coisa compatível com suas ambições.

Se casadas, portavam-se. Para os tupis, o adultério da mulher era coisa feia que podia, em casos extremos, levar o marido a matá-la cheio de razões. Quando solteiras, tudo era diferente. Fazendo um agrado à visita, o pai permitia uma noite de sexo com a filha. Ou, se não era por agrado, por uma meia dúzia de anzóis que fosse. Não fosse por vontade do pai, a moça solteira, separada ou viúva, tinha também liberdade de encantar-se pelo distinto estrangeiro, carregá-lo para um ambiente reservado na oca e mostrar-lhe o que nunca vira na Europa.

Assim, nuas, as peles pintadas em padrões de vermelho e negro, suas orelhas atravessadas por cotocos a arreganhá-las, as índias sorridentes com seus dentes perfeitos como não se existiam no Velho Mundo entregavam-se aos franceses. Sempre fizeram isso entre si. Não tinham ciúmes ou sentimento de posse. Queriam – e deleitavam-se – com sexo sem culpas, religiões ou psicanálises. Onde os tupis viam boas-vindas e meia dúzia de orgasmos, Villegagnon enxergou luxúria – a perdição de sua colônia ainda nos primeiros dias.

Os franceses que vieram com ele não pensavam assim. Em sua maioria, eram presos que ganharam a liberdade em troca de participar da missão. Estes, que se tiveram contato com carne foi com a de outros homens, atiraram-se ao continente com volúpia, embriagados pelas sensações tropicais. A resposta do vice-rei do Brasil foi igualmente embriagada – mas de fúria. Chegou a uma aldeia armado, procurou um dos normandos que já vivia há anos na terra num casamento à moda local. Ofereceu-lhe duas opções: o sacro matrimônio ou o abandono da mulher. O homem disse não.

Foi executado.[5]

Muito no início, ao chegar no Brasil, foram felizes e livres. Então descobriram que sob o comando de Nicolas Durand sua existência seria um pesadelo entre as tentações da mata e a lâmina afiada da espada de templário.

[5] MELLO, Carl Egbert H. Vieira de. *O Rio de Janeiro no Brasil quinhentista.*

Os primeiros meses na França Antártica foram de trabalho árduo. Militar bem-treinado, Villegagnon escolheu a Laje, uma pedra estreita logo na entrada da Guanabara, para apresentar os primeiros combates a potenciais invasores. Ergueu uma paliçada de madeira com visada para o Atlântico e lá deixou dois canhões. No futuro, aquele fortim seria o ponto ideal para sentinelas. Naquele momento, era o que lhes daria tempo e tranquilidade enquanto erguiam um forte maior.

Mas não haveria de ser. Com a subida da maré umas semanas depois, a *Ratier* – como batizaram a Laje – foi coberta, o madeirame seguiu flutuando e as peças de artilharia foram parar no fundo da Guanabara.

Para erguer seu forte, escolheu a ilha que os índios chamavam Seregipe, no meio da baía. Num pequeno monte, ao centro, mandou construir uma casa de madeira para si. Em frente à porta, pendurou sua espada como alerta e símbolo do que entendia por justiça.[6] Abaixo da casa, escavaram a pedra para ceder espaço a uma cisterna que poderia armazenar água por várias semanas e que a chuva alimentaria a cada tempestade.

Água fresca, no entanto, eram os índios que traziam, junto com comida, quase todo dia – para ganhar em troca bugigangas. Villegagnon sabia que precisava contar com os tupinambás. Os índios eram guerreiros ferozes e ambos tinham por inimigo comum os portugueses. Se a Guanabara continuava virgem, só frequentada por

[6] LATIF, Miran de Barros. *Uma cidade no trópico.*

normandos, era por causa desses nativos. Mas o líder da colônia francesa também os encarava com desconfiança. Escolheu para seu forte uma ilha, e não o continente, para poder defender-se em caso de os humores mudarem.

O Forte, que batizou Coligny em homenagem a um de seus padrinhos, ficou completo em três meses.[7] À frente, construiu em madeira e pedra cinco torrezinhas para proteger canhões e artilheiros.[8] Onde havia espaço, com a ajuda dos tupinambás, espalhou alojamentos em nada diferentes das ocas indígenas. No fim, cabiam 80 homens. O resto do pessoal teria de morar no continente.

Desde que o capitão Binot Paulmier de Gonneville esteve no Brasil, em 1503, os franceses sonhavam com os índios do país, seus hábitos exóticos e os produtos que revendiam por quase nada. (Um carijó que Gonneville levou consigo para a França terminou casando com sua filha.)[9] Se os portugueses mantinham relações cordiais com os tupiniquins, os franceses tinham os tupinambás, de Angra dos Reis, Cabo Frio e Guanabara em boa conta. Os nativos faziam fortunas para os armadores normandos. Em meados do século XVI, Portugal começava a investir mais pesada-

---

7 MARIZ, Vasco; PROVENÇAL, Lucien. op. cit.

8 FRAGOSO, Gal. Augusto Tasso. *Os franceses no Rio de Janeiro.*

9 CRULS, Gastão. *Aparência do Rio de Janeiro.*

mente em sua colônia, e o tráfico era motivo de preocupação. Se os franceses conseguissem controlar o território todo, pau-brasil não teriam mais.

Foi justamente com a perspectiva desse domínio em mente que, em 1550, um grupo de mercadores franceses celebrou uma enorme festa em homenagem ao rei Henrique II e sua jovem rainha, Catarina de Médici, na cidade de Rouen. Coisa espetacular. Meia centena de tupinambás fez uma simulação de guerra indígena para o deleite da corte. Havia papagaios, pau-brasil, um pedaço do Novo Mundo transferido para a Normandia.[10] O rei, que havia proibido viagens ao Brasil, mudou de ideia. Em 1551, enviou uma expedição cartográfica para mapear a costa.

No início de 1554, com recursos próprios, Nicolas Durand seguiu para o Brasil, onde aportou em Cabo Frio, numa viagem curta e discreta.[11] Na volta, trouxe pau-brasil o suficiente para lhe pagar a empreitada. Por intermédio do padre André Thevet, foi apresentado a Cunhambebe, um dos líderes indígenas mais temidos da região. Voltou com a impressão de que, se decidisse instalar uma colônia por ali, seria bem-vindo.

Quando voltou de sua curta viagem de inspeção ao Brasil, Villegagnon conseguiu uma audiência com sua ma-

[10] CRULS, Gastão. op. cit.

[11] MARIZ, Vasco; PROVENÇAL, Lucien. op. cit.

jestade. No palácio, foi recebido por Henrique II e Diana de Poitiers, a quem apresentou numa sessão de quatro horas seu projeto colonial.[12]

Diana tinha 55 anos e ainda conservava a beleza que lhe rendeu fama. Ao longo da vida, posara nua para vários pintores e, séculos mais tarde, artistas ainda se inspirariam em seu retrato para dar rosto à deusa Diana dos romanos. Enviuvou jovem e, aos 35, fez-se amante de um Henrique adolescente, quando seu pai, Francisco I, era rei. Mesmo após seu casamento com Catarina de Médici, era a cama de Diana que Henrique frequentava. No início, a situação ficou tão complicada que foi a amante quem precisou ensinar a Catarina os pormenores do sexo para que a França pudesse ter herdeiros. Ela estimulava o rei no início da noite e o despachava para o leito nupcial. De madrugada, Henrique II retornava. Ele foi-lhe fiel até o fim da vida e Diana era a mais influente das conselheiras reais.

QUANDO SOLTEIRAS, TUDO ERA DIFERENTE [PARA AS TUPIS]. AS ÍNDIAS NÃO TINHAM CIÚMES OU SENTIMENTO DE POSSE. DELEITAVAM-SE COM SEXO SEM CULPAS, RELIGIÕES OU PSICANÁLISES.

O duque de Guise arranjou dinheiro para o projeto da França Antártica, assim como o próprio rei emprestou algum a Villegagnon. A colônia seria um negócio particular com a bênção real. Estimulados por Guise e pelo conde de

[12] MARIZ, Vasco; PROVENÇAL, Lucien. op. cit.

Coligny, vários nobres também contribuíram. Mas foram principalmente os armadores de Dieppe, responsáveis pela festa dos tupinambás quatro anos antes, que mais investiram. Com um militar como o vice-almirante da Bretanha no comando, um entreposto comercial estaria garantido e o fluxo de mercadoria aumentaria.

Os preparativos para a viagem, durante 1555, foram discretíssimos. Como era impossível disfarçar uma expedição com 600 homens e três navios, espalhou-se o boato de que Villegagnon ia para a Guiné. Em sua carta de subvenção, Henrique II limitou-se a escrever que ele seguiria "para um empreendimento que não desejamos especificar ou declarar".[13]

Partiram do porto de Le Havre de Grace em 12 de julho de 1554, mas violentas tempestades os obrigaram a voltar duas vezes. Só em agosto, no dia 14, com a tripulação de 600 incrivelmente reduzida por conta dos incidentes, partiram finalmente em direção ao Rio de Janeiro.

Naqueles primeiros meses de França Antártica, além do padre Thevet, Villegagnon tinha ao seu lado outros poucos homens de confiança. O piloto Barré, seu sobrinho Bois--le-Comte, e oito soldados escoceses, veteranos do resgate de Maria Stuart. Havia, ainda, um índio brasileiro, tabajara, que vivia há muito na França – veio como intérprete. De

---

[13] MARIZ, Vasco; PROVENÇAL, Lucien. op. cit.

resto, as duas ou três centenas de franceses que o acompanhavam na expedição eram desconhecidas. Na maioria homens que estavam presos nas infectas cadeias francesas onde passariam, provavelmente, o resto das vidas. Na falta de voluntários de melhor estirpe, foi oferecida a eles a chance de liberdade em troca da aventura.

O índio, coitado, que era de outra região, não falava uma palavra de tupi. Para horror dos europeus, um dia sumiu e, foram descobrir, tinha virado jantar. O paraíso era um pouco diferente do que imaginavam.

Aos colonos, o pesado trabalho na construção do forte começou a incomodar. Além do mais, Pay Colás,[14] que é como os índios chamavam Villegagnon, começou a impor-lhes uma dieta restritíssima.[15] Acreditava que privações materiais trariam ordem. Mas seus homens não eram soldados ou monges: eram bandidos libertos. Nicolas Durand estava apenas começando a perder o controle. Fundar uma colônia contando com presos libertos e tendo por base intransigência religiosa, agora ficava evidente, tinha sido uma temeridade. Não bastasse, uns ainda estavam fracos, doentes da longa viagem e não se podia contar com eles para o trabalho.

Era preciso mais gente. Gente de melhor qualidade.

Entre os doentes encontrava-se Thevet, com quem o vice-rei do Brasil contava para ser o líder espiritual da colônia. Villegagnon sentia-se solitário. Isolado. Foi quando

[14] Senhor Colás em tupi, de senhor Nicolas.

[15] LISBOA, Balthazar da Silva. *Annaes do Rio de Janeiro.*

decidiu enviar seu sobrinho, o senhor de Bois-le-Comte, de volta à França para buscar reforços. Ele partiu no dia 12 de fevereiro, meros três meses após a chegada. Levou Thevet adoecido. Sua missão: conseguir uns 4.000 soldados, o maior número possível de mulheres brancas para casar e operários que ergueriam uma cidade no continente.

A França Antártica dos sonhos de Villegagnon seria uma potência.

A revolta estourou no dia 14 de fevereiro de 1556 – Bois-le-Comte e André Thevet tinham partido de volta à França fazia apenas dois dias. Os normandos que já viviam na terra e os franceses que tinham chegado há pouco exploraram a possibilidade de envenenar Villegagnon ou explodir o arsenal do forte, que ficava do lado da cisterna, abaixo de sua casa. Decidiram por assassiná-lo pessoalmente. Para isso, procuraram a parceria de um dos soldados escoceses que lhe serviam de guarda-costas.

Só que estes eram fidelíssimos ao libertador de Maria Stuart. O soldado procurado informou Nicolas Barré do plano e ele, por sua vez, revelou-o ao chefe. Eram algo entre 26 e 30 os conjurados. Dois foram enforcados, outros condenados ao trabalho escravo.[16,17] O líder e alguns fugiram para o interior, onde se exilaram entre os índios,

[16] MARIZ, Vasco; PROVENÇAL, Lucien. op. cit.

[17] LISBOA, Balthazar da Silva. op. cit.

iniciando processo de envenenar a imagem de Villegagnon entre os nativos da terra. Tentaram convencê-los de que tinha sido o chefe francês quem trouxera propositalmente uma febre que assolava as tribos.[18]

Foram presentes e mais presentes aos índios até retornar sua confiança. E, ainda assim, Nicolas Durand nunca mais se recuperou do atentado. A paranoia o tomou. Nunca mais deixaria o forte na ilha em direção ao continente.

Seria sua prisão.

Henriville era uma pequena vilazinha onde hoje está a praia do Flamengo. Batizada em homenagem ao rei, suas casas eram improvisadas, as paredes de terra batida misturada a conchas e mariscos. Segundo a descrição do embaixador Vasco Mariz, em sua biografia de Villegagnon, a rua à beira-mar era ornada com uma fileira de palmeiras. No início, 60 franceses viviam lá. O prédio principal, feito em pedra, esteve de pé ainda durante muito tempo após a queda do forte e da vila: era a *briguetterie*, ou olaria, onde preparavam tijolos. Não muito longe ficava a plantação de hortaliças, mandioca e legumes, cultivada pelos índios, que servia de alimento aos colonos. Vez por outra, comia-se galinha ou porco, que os tupis traziam de seus saques aos engenhos portugueses.[19]

---

[18] LISBOA, Balthazar da Silva. op. cit.

[19] QUINTILIANO, Aylton. *A guerra dos Tamoios*.

A construção de Henriville marcou o racha na colônia. Nicolas Durand isolou-se de todos por medo de traição, no caso dos europeus, e por algum asco dos hábitos indígenas. Tentou vestir à força algumas moças da terra que trouxera como criadas para o forte. Dava chibatadas. Não adiantava: elas esperavam que ele dormisse para vagar nuas, à noite, sentir a brisa contra seu corpo e poder descansar em paz.

Quando não eram o sexo e a nudez, era a antropofagia que causava horror a quem vinha do Velho Mundo. Sempre que pôde, Villegagnon forçou a liberdade de prisioneiros que teriam o estômago dos índios por destino. Três deles, portugueses, após libertos fugiram mata adentro, dando o alerta e alguma informação sobre a colônia francesa.

QUANDO NÃO ERA O SEXO E A NUDEZ, ERA A ANTROPOFAGIA QUE CAUSAVA HORROR. SEMPRE QUE PÔDE, VILLEGAGNON FORÇOU A LIBERDADE DE PRISIONEIROS QUE TERIAM O ESTÔMAGO DOS ÍNDIOS POR DESTINO.

O comércio entre França e Brasil disparava. Conforme os navios mercantes iam e vinham, Villegagnon tratava de enviar sinais de que tudo estava bem. Os mercadores mantinham o vice-rei do Brasil informado por cartas. Suas esperanças todas, investiu-as em Bois-le-Comte. No exército que ele traria. Mas não havia notícias. Sufocado, isolado, Nicolas Durand, cavaleiro de Malta, senhor das terras de Villegagnon, passou o ano de 1556 esperando por um milagre, algo que o ajudasse a reencaminhar seu projeto de colônia. E nada. Foi quando optou por um gesto de desespero.

Até que o vice-rei católico do Brasil escreveu a um antigo colega de universidade. Pedia ajuda. Era Calvino.

Em agosto de 1556, o embaixador de Carlos V em Lisboa fez chegar à rainha regente, d. Catarina, a notícia passada por um seu espião de que Villegagnon estava no Rio e que "pediu ao rei da França que lhe envie gente de guerra em número de três a quatro mil".[20] Era justamente essa a missão de Bois-le-Comte. O que espanhóis e portugueses não sabiam é que o sobrinho de Villegagnon fora recebido por Henrique II, tratado com cordialidade porém informado de que não haveria dinheiro. Em guerra cada vez mais acirrada contra Carlos V, o rei francês estava endividado com o duque de Guise e com os banqueiros seus sogros, em Florença.

Mas ainda sobrava o outro padrinho de Villegagnon, Coligny.

Gaspard de Chatillon, o conde de Coligny, era jovem. Tinha 37 anos em 1556. Seu irmão caçula, Odet, era cardeal. Seu tio, o duque de Montmorency, era um dos mais influentes líderes católicos na corte de Henrique II. Mas algo estava mudando. O outro irmão de Coligny, Francisco, vestia trajes negros e sóbrios que começavam a ficar comuns pelas ruas. Era, no dizer francês, um huguenote – do alemão *huis genooten*, companheiro de casa. Francisco era calvinista.

[20] MARIZ, Vasco; PROVENÇAL, Lucien. op. cit.

Com o crescimento em número dos huguenotes, inimizades começavam a florescer na França. Havia cheiro de guerra civil no ar. E os grupos começavam a se separar, cada vez mais próximos da corte.

O conde de Coligny não era huguenote. Ao menos, não declaradamente. Mas quando Bois-le-Comte o procurou em nome do tio, Coligny escreveu a um antigo vizinho de Chatillon que vivia em Genebra, sede da Igreja Reformada. Chamava-se Felipe de Carguilleray, senhor Du Pont. O almirante, conselheiro militar do rei, oficialmente católico, pediu a Du Pont que conversasse com Calvino sobre a possibilidade de uma expedição ao Rio de Janeiro. Sugeria a ideia de que, quem sabe, a França Antártica poderia transformar-se numa colônia protestante para o caso de exílio. Era um projeto não diferente do que levaria, um século mais tarde, os puritanos ingleses à América do Norte.

As notícias esporádicas que Villegagnon ia recebendo depois de um ano e meio longe de casa davam conta de que o racha religioso dividia a França à velocidade de galopes. Ele, sacerdote templário, alguém que lutara contra os árabes vestindo por cima da cota de malha o manto carmesim com a cruz branca de oito pontas estampada ao centro, desesperava-se no íntimo. Parecia que o cardeal de Lorena e seu irmão, duque de Guise, viravam-lhe as costas. E Coligny acenava com uma aproximação de Calvino.

Nicolas Durand não tinha escolha.

Em agosto de 1557, enquanto liderava a defesa de Saint Quentin contra os espanhóis, Coligny caiu prisioneiro – e preso ficaria por dois anos. Quando saiu, em 1559, após o pagamento de um vultuoso resgate, vestia modestas roupas negras.

Era, agora oficialmente, o huguenote mais próximo de Sua majestade.

Algum tempo antes, no dia 19 de novembro de 1556, Felipe de Carguilleray, senhor Du Pont, subiu a bordo do *Grand Roberge*, no porto de Honfleur.[21] Consigo iam dois ministros protestantes, Pierre Richer, com mais de 50 anos, e o jovem Guilherme Chartier, além de outros onze fiéis. Entre eles, um sapateiro de 22 anos chamado Jean de Léry, que seria o autor de um dos mais fascinantes relatos de viagem ao Brasil quinhentista.[22]

Além do *Grand Roberge*, a expedição de Bois-le-Comte ainda contava com dois navios de porte médio, o *Rosée* e o *Petite Roberge*. No total, carregavam uns 300 tripulantes, incluindo seis crianças que seriam largadas entre os índios para aprender-lhes o idioma e cinco moças para casar, mais governanta, um bom número de operários e João Cointa, um aventureiro indeciso religiosamente que se tornaria um dos mais fascinantes personagens desta história.

Foi uma viagem tensa. Tentaram aproximar-se das Canárias para reabastecer, mas foram expulsos a tiros pe-

[21] LÉRY, Jean de. *Viagem à terra do Brasil.*

[22] Honra que divide com Hans Staden. Estiveram mais ou menos nos mesmos lugares, conhecendo as mesmas pessoas, com cinco anos de diferença.

los espanhóis. Em alto-mar, um pouco por vingança, um pouco porque simplesmente podiam, abordaram e saquearam tanto navios portugueses quanto espanhóis que encontraram. Não pouparam ninguém nem no dia de Natal, quando tomaram uma caravela espanhola, enviando seus tripulantes para um navio português prisioneiro.

Assim, agora com quatro barcos, avistaramfinalmente a Guanabara no dia 7 de março de 1557, um domingo.[23] Desembarcaram no dia 10 na ilha de Seregipe, onde estava o forte de Coligny.

"Meus filhos, assim como Jesus Cristo nada teve deste mundo para si e tudo fez por nós, pretendo fazer aqui o possível para todos que vieram com o mesmo fim que vocês", disse Villegagnon aos pastores, tão logo desembarcaram.[24] O cavaleiro de Malta era todo sorrisos, abraçado a Du Pont. "Quero que os vícios sejam reprimidos", continuou, "o luxo do vestuário condenado e que se remova de nosso meio tudo quanto possa prejudicar o serviço de Deus." Nenhum calvinista reprovaria tal discurso – mas Villegagnon continuaria a vestir suas roupas coloridas.

[23] LOPEZ, Adriana. *Franceses e tupinambás na terra do Brasil.*

[24] LÉRY, Jean de. op. cit.

Na sequência, Nicolas Durand os recebeu à mesa. Richer fez uma prece e lhes foi servida a refeição: peixe grelhado, farofa e água da cisterna, verde de limo.[25]

Naquele ano, a Páscoa caiu no dia 21, duas semanas após a chegada dos novos colonos. Na ceia, Villegagnon levantou-se e fez uma longa prece. Então pegou o pão, dividiu-o, e fez circular o vinho, dizendo que aqueles eram o corpo e o sangue de Cristo. O pastor Chartier reclamou – da maneira como os calvinistas viam, pão e vinho representavam, mas não eram de fato o corpo do Cristo morto. João Cointa partiu em defesa do vice-rei, lembrando os diplomas ganhos na Sorbonne. Discutiram pesadamente. Para usar a expressão de Gastão Cruls, um dos cronistas da história do Rio, "uma discussão dogmática bem à moda do tempo". Pois dogmáticos eram todos, Villegagnon e Cointa com seu catolicismo arraigado que via no pão e vinho a coisa literal, e os protestantes que não toleravam ouvir citar qualquer coisa próxima a isso.

No início de abril, e durante o mês seguinte, começou a temporada de casamentos, todos no ritual protestante. Então, no dia de Pentecostes, quando veio nova ceia, Cointa provocou, sugerindo que se misturasse água ao vinho para economizar, horrorizando os reformados. "A faísca da guerra religiosa já estava acesa no fundo das almas", lembraria mais tarde Villegagnon.[26] "Ninguém compreendia Deus da mesma maneira." E tudo começou a ficar mais

---

[25] Léry descreve farinha de mandioca; é farofa, pois.

[26] MARIZ, Vasco; PROVENÇAL, Lucien. op. cit.

complicado. Uns, que eram casados na França, queriam o divórcio e o defendiam. Nicolas Durand era contra – por motivo semelhante, um rei inglês já tinha precisado romper com o papa e fundar uma nova religião.

Num dos casamentos, Richer exigiu que os noivos fossem batizados novamente – Villegagnon achou absurdo. Então, discutiam coisas como se podia haver óleo ou não na água do batismo. O rompimento chegou a um ponto tão agudo que o vice-rei sugeriu que o pastor Chartier retornasse à França para consultar-se com Calvino a respeito de cada argumento – era uma estratégia para livrar-se do opositor mais arraigado.

Quando maio chegou, as inseguranças de Villegagnon a respeito de como devia posicionar-se no cisma francês terminaram. Recebeu uma carta do cardeal Guise, um de seus dois patrocinadores iniciais. O clérigo o censurava por ter recebido huguenotes na América e questionava sua fidelidade.

Quando precisou de ajuda financeira para melhorar a qualidade dos colonos, foram Coligny e Calvino que o ajudaram – não os Guise, não o rei. Mas, no íntimo, naquilo em que realmente cria, Nicolas Durand era um católico das antigas. Acreditava mesmo era nas longas expedições para capturar Jerusalém. Não havia sutilezas em sua maneira de ver o mundo. Era Deus e os Dez Mandamentos ou o Diabo e o inferno. Não havia tolerâncias. Mesmo aquele novo catolicismo pragmático de santo Inácio e seus jesuítas não seduzia Villegagnon. Os índios viviam em pecado – ponto. Pão e vinho eram o corpo e o sangue do crucificado – ponto.

O convívio com os protestantes, agora que o vice-rei tinha um aceno de apoio político na França católica, passava a ser impossível. Cumpria, então, preparar uma terceira fase para a colônia. Com os prisioneiros libertos, o pecado veio pela carne. Com os calvinistas, pela interpretação herege do dogma. Portanto, desta terceira fase o cruzado cuidaria pessoalmente. Mas, primeiro, precisaria se livrar dos calvinistas, fazer de sua vida no Rio de Janeiro insuportável e documentar-se o mais possível sobre os ocorridos entre o forte e Henriville.

A invenção da imprensa de tipos móveis por Gutenberg, menos de um século antes, deu origem a uma série de acontecimentos que culminou com a Reforma e a Contrarreforma. Até então, a Igreja Católica era o centro de tudo. A cada balada de sino marcando a hora do dia, a cada festa pública, em cada momento da vida civil de qualquer um estavam lá Deus, Cristo e o Espírito Santo presentes, constantemente lembrados em rituais. Não havia espaço para duvidar de sua existência – não havia um mundo secular à volta. Era um mundo de analfabetos, praticamente todos os livros eram copiados à mão por monges e a única fonte de informação para quase todo mundo era o padre no altar.

Durante a Idade Média, a peste bubônica ceifou vidas numa quantidade inédita. A constante histeria de caça a bruxas, acompanhada por descrições ricas de rituais satânicos, oprimia. E agora havia algo diferente. Descobertas de novas terras e gentes, descobertas científicas, tudo descrito em textos que circulavam por uma burguesia ascendente.

O mundo parecia ser mais rico e mais assustador. Deus já não oferecia mais consolo.[27]

A INVENÇÃO DA IMPRENSA DE TIPOS MÓVEIS POR GUTENBERG DEU ORIGEM A UMA SÉRIE DE ACONTECIMENTOS QUE CULMINOU COM A REFORMA E A CONTRARREFORMA. ATÉ ENTÃO, A IGREJA CATÓLICA ERA O CENTRO DE TUDO.

A dureza da vida parecia negar este Ser benevolente que a tudo perdoa. Em algumas sociedades, como os casos alemão e francês, esta sensação de abandono criou a angústia – e foi a angústia que desembocou, no século XVI, em Lutero e Calvino.

Mas não era só a angústia. A descoberta dessas terras onde uma gente vivia em aparentes felicidade e liberdade total atiçava fantasias nos europeus que digeriam avidamente histórias dessas viagens, em livros como o de Léry, mas também em cada taberna, contada por marinheiros bêbados, em cada porto do Mediterrâneo. Por certo que era uma visão idealizada – mas encantava.

Não bastasse, o desejo por estados nacionais, a queda da importância econômica dos feudos e a ascensão da classe mercante, o surgimento dos primeiros bancos, tudo ia um pouco contra preceitos que soavam imutáveis da Igreja

---

[27] ARMSTRONG, Karen. op. cit.

Católica. Assim, o mundo mudava de forma a atingir a posição central que a Igreja tinha. Quando o homem mudou, também mudou seu Deus.

Na França, a mudança de expectativas por parte da população levou à guerra civil. O dito "uma fé, uma lei, um rei", repetido por todos, deixava de fazer sentido. Todos esses personagens que profundamente influenciaram a colônia no Rio de Janeiro, como o conde de Coligny e o cardeal de Lorena, foram se distanciando com velocidade crescente, seus ódios atiçados. Henrique II morreu após sofrer um acidente numa justa, em 1559 – seu primogênito, Francisco, tinha 15 anos. No vácuo de poder, em 1562 estourou a Primeira Guerra Religiosa. A última terminou em 1598.

Na colônia francesa, era este o processo de intolerância que se ensaiava.

A vida na colônia ficou intolerável após a partida do pastor Chartier. Católicos e calvinistas não almoçavam mais nos mesmos ambientes. Villegagnon os proibiu de celebrar rituais religiosos. Finalmente, chegou o momento em que senhor Du Pont, amigo de Coligny, procurou o vice-rei para comunicar que, tão logo chegasse de volta o navio que levara o pastor, embarcariam todos com rumo a França. Nicolas Durand gostou da notícia. Na melhor das hipóteses, estariam condenados àquele paraíso feito inferno por no máximo oito meses.

Em junho de 1557, deixaram o forte, mudando-se para Henriville, após Villegagnon ameaçar "quebrar a cabeça de quem desobedecer".[28] Léry e alguns outros penduraram suas redes à moda tupi na casa de pedra onde funcionou a olaria. Os trabalhos na construção da vila, como os de fortalecimento da ilha, estavam paralisados. Por vários meses, então, dedicaram seu tempo a conhecer a terra. Du Pont passou a cultivar o projeto de retornar com vários homens para depor Villegagnon e implantar a colônia calvinista.

O jovem Léry, no entanto, parecia mais fascinado com a vida dos índios. Entre os nativos, conheceu a mata, aprendeu a língua, tomou nota com constância de tudo que viu sobre seus hábitos. Se, por um lado, era um religioso obsessivo como todos eram na época, por outro os observou com genuína curiosidade e nenhuma intransigência. Todo seu livro é permeado por admiração e rigor no relato. Em tempos de mudanças drásticas acontece de tudo. Um homem poderoso e estudado como Villegagnon pode fincar seus pés no passado – e um jovem e humilde sapateiro, com parca educação, é capaz de intuitivamente interagir com seu arredor sem cobrar que ele se encaixe numa forma preconcebida, dogmática. Villegagnon virou personagem secundário; o livro de Léry é estudado com afinco por todos.

O difícil convívio com o vice-rei do Brasil, no entanto, persistia. Preocupado com a preparação de sua defesa perante o cardeal de Lorena, Villegagnon enviou ao continente o notário François Auberi para colher um relato

---

[28] MARIZ, Vasco; PROVENÇAL, Lucien. op. cit.

das crenças de Richer e Du Pont, que eles assinaram. A cada dia, Villegagnon ficava mais embrutecido na solidão de Seregipe. Isolado. Um dos prisioneiros no forte, chamado Laroche, apanhava com constância de chibata. Em meados de 1557, Nicolas Durand enviou o único navio que tinha para explorar o sul do país, averiguando novos terrenos para uma possível transferência da colônia e, principalmente, indícios de ouro e prata – que os espanhóis já haviam descoberto aos borbotões em seu pedaço do Novo Mundo. A expedição foi até a Patagônia e voltou, após três meses, sem ter encontrado nada.

Na volta, o piloto vinha preso, acusado pelo capitão de sodomia. O pastor Richer, consultado, o absolveu. Villegagnon ordenou sua execução.

No dia 4 de janeiro de 1558 os calvinistas subiram a bordo do *Jacques*, um pequeno navio mercante que caía aos pedaços. Logo no início da viagem de volta à Europa, rompeu o fundo, água começou a invadi-lo violentamente obrigando todos a bordo a trabalhar na bomba manual para sobreviver – e o *Jacques* voltou à Guanabara. Obrigados pelo capitão – ou inseguros quanto à viagem –, cinco dos huguenotes preferiram permanecer no Rio. Deles, três terminaram executados por Villegagnon.

Os que prosseguiram enfrentaram um retorno difícil – quando até o papagaio que tinham levado virou almoço, comeram o couro das roupas. Gente morreu. Mas chegaram à França, no porto de Audierne, em 24 de maio. O capitão trazia uma carta de Nicolas Durand para ser entregue aos magistrados locais – carta com duras acusações de heresia que pedia a prisão dos religiosos. Só que os magistrados eram também huguenotes.[29]

Nicolas Durand de Villegagnon partiu do Rio de Janeiro em maio de 1559 para nunca mais voltar. No forte de Coligny, nome que já tinha perdido o sentido, deixou o sobrinho Bois-le-Comte com menos de 100 homens.

Quando partiu de Le Havre, cinco anos antes, levava uma tripulação de 600. Após as dificuldades do início da viagem, muitos abandonaram os navios, outros morreram no caminho. Uns 80 desta primeira missão viveram no forte e outros 60, em Henriville. Faz um total de 140 franceses. A segunda missão partiu da França com 300 pessoas – em toda sua história, não mais que 500 viveram na França Antártica. Os calvinistas partiram com a intenção de retornar trazendo uma quantidade impressionante de pessoas para depor o vice-rei; Villegagnon partiu sonhando com 10.000 colonos. Nem um nem outro tiveram oportunidade de fazê-lo.

Nas décadas seguintes, uma batalha intelectual pela posse histórica da colônia francesa na Guanabara teve início. O

[29] Biógrafo de Villegagnon, o embaixador Vasco Mariz não acredita que essa carta tenha existido. Para ele, fez parte da campanha de difamação promovida pelos protestantes contra o cavaleiro.

pastor Richer assinou um panfleto intenso de duras críticas ao cavaleiro de Malta – muitos acreditam que a autoria tenha sido do próprio Calvino. Villegagnon também publicou um livreto de resposta. Teve em sua defesa o padre André Thevet, que em 1558 lançou *Singularidades da França Antártica* e, em 1571, já cosmógrafo real de Carlos IX, publicou *Cosmografia universal*. Em ambos dedicou-se à memória da colônia, contraditado pelo *Viagem à terra do Brasil* de Jean de Léry. Entre as duas correntes, muitas vezes é difícil dizer o que é verdade, o que é versão, o que é mentira.

O maior mérito de Thevet foi esquecido. Quando voltou à França pela última vez, levou consigo sementes dumas folhas que os índios chamavam *petum* e as plantou no jardim de casa.[30] O mérito de sua difusão na Europa ficou com outro francês, o embaixador em Portugal, Jean Nicot. Seu nome científico: *Nicotiana tabacum*.

Du Pont morreu pouco após o retorno à sua casa, na Suíça; para um homem com idade avançada, o duro cruzamento do Atlântico foi fatal. Léry viveu ainda muito tempo. Em 1560, foi nomeado pastor por Calvino e, em 1573, sobreviveu a um dos episódios mais trágicos das guerras religiosas, o cerco impetrado pelos católicos à cidadela de Sancerre. Após meses lá dentro, o pastor Léry ensinou aos outros protestantes como fazer de lençóis redes à moda

[30] CRULS, Gastão. op. cit.

tupi para ao menos garantir algum conforto no sono. Morreu em 1611. Seria lembrado pelo antropólogo Claude Lévi-Strauss como o primeiro etnógrafo brasileiro.

De volta à França, Nicolas Durand de Villegagnon continuou frequentando a corte, amigo dos Guise, dedicado à constante campanha contra os protestantes perante Catarina de Médici, viúva de Henrique II. Morreu no dia 15 de janeiro de 1571, um ano antes da Noite de São Bartolomeu. Embora lembrado no Brasil, sua memória não é celebrada na França.

DEUS JÁ NÃO OFERECIA MAIS CONSOLO. A DESCOBERTA DESSAS TERRAS ONDE UMA GENTE VIVIA EM APARENTES FELICIDADE E LIBERDADE TOTAL ATIÇAVA FANTASIAS NOS EUROPEUS. ERA UMA VISÃO IDEALIZADA – MAS ENCANTAVA.

Em agosto de 1572, Catarina casou sua filha, Margarida de Valois, a rainha Margot, com Henrique de Navarra, um huguenote. Parecia celebrar a trégua – não era nada disso. Na madrugada do dia 24 daquele mês, por ordens do filho do duque de Guise, o almirante Coligny foi assassinado, seu cadáver arrastado pelas ruas de Paris e atirado ao rio Sena. Nos três dias seguintes à Noite de São Bartolomeu, foram massacrados na capital e nos arredores 5.000 protestantes.

O Rio de Janeiro não foi a única tentativa de Coligny de inaugurar uma colônia huguenote no Novo Mundo – tentou o mesmo na Flórida, também sem sucesso. Imitando seu exemplo, uma colônia de protestantes finalmente vingou no século XVII – dela, nasceram os Estados Unidos da América.

A ilha de Seregipe, onde esteve o forte de Coligny, hoje atende pelo nome ilha de Villegagnon. Nela funciona a Escola Naval. Quanto à Guanabara, ela já tinha servido de cenário para uma cidade europeia que não floresceu. Agora era a vez de os portugueses tentarem.

A ESPERA ANGUSTIADA

Na madrugada do dia 21 de fevereiro, em 1560, a pequena armada lançou âncoras em alto-mar. À sua frente, o imenso rochedo comprido que alguém já havia batizado Pão de Açúcar e a entrada estreita da Guanabara. Não há registro de ter sido dia de temporal e, assim, possivelmente a lua mostrava-se apenas num filete, iluminando parcamente a noite.[1]

Preparavam-se para um ataque surpresa e, portanto, fizeram tudo em silêncio e sem luz para não despertar a atenção das sentinelas inimigas. Amarras soltas, os botes foram lançados ao mar. É possível imaginar nitidamente a cena: o ruído do remo contra as águas, a escuridão – e a espera angustiada que teve início ali.

---

[1] As fases da Lua, bem como o cálculo de marés e o horário do nascer e pôr do sol, são exatas. É possível fazer a conta de como foi em qualquer dia dado. Deve-se considerar a hipótese de tempo nublado – mas, neste caso, só confirmaria o fato de que a noite era escura.

Na ponte de comando da nau capitânia, os olhos fixaram-se onde devia estar o fundo da baía. Os ouvidos atentos para sinal de tiros que indicariam o começo da batalha e a hora de novamente mover as âncoras, içar velas, partir para o apoio da expedição. Com alguma sorte, pelo repentino do ataque, já encontrariam o forte francês dominado.

Na espera, é possível que os portugueses tenham sido atormentados por dúvidas. Não teriam parado longe demais? Será que os batéis a remo alcançariam o forte de Coligny antes de o sol nascer? Teriam lançado aqueles homens numa missão suicida? Tinham gente suficiente para a batalha?

Por mais de meio século Portugal reinou absoluto no Brasil. Se a pequena nação ibérica teve problemas com corsários e aventureiros na costa, e teve, era no fim das contas coisa miúda e pôde tocar sua colônia sem muita estratégia enquanto dedicava atenção ao resto do mundo.

A tranquilidade acabou em 1555, quando Nicolas Durand, cavaleiro de Villegagnon, chegou ao Rio de Janeiro, numa ilhota da Guanabara ergueu o forte de Coligny e, onde hoje é a praia do Flamengo, espalhou sua pequena vila. De repente havia uma nova colônia na terra, sem controle de Lisboa, um projeto de levar gente e fincar raízes, tomar conta e crescer. Quando lembrado do Tratado de Tordesilhas, que dava posse daquelas bandas com a chancela do papa, um rei francês já havia respondido irônico:

"Gostaria muito de ver no testamento de Adão a passagem em que ele divide o novo mundo entre o imperador da Espanha e o rei de Portugal."[2]

Às 5h43, vindos da direção em que hoje fica a Barra da Tijuca, os primeiros raios de luz começaram a intervir na coloração do céu. Como é típico de um fevereiro carioca, é provável que o negrume tenha sido lentamente substituído por fortes tons carmim antes de virem as cores do dia, flagrando os botes ainda na metade do caminho e iluminando as velas portuguesas, no oceano. "Ou por não saber", lembraria mais tarde o padre Manuel da Nóbrega, "ou por não querer, o guia fez ancorar a armada tão longe do porto que os batéis não puderam chegar senão de dia e foi logo vista a armada."[3]

A algazarra das sentinelas despertou quem ainda dormia. Quem estava no continente pegou seus barcos em busca de refúgio na ilha fortificada. Um navio pirata ancorado à espera do carregamento de pau-brasil foi abandonado pelos marujos que tomaram o mesmo rumo. Encheram-se de pólvora os canhões, arcabuzes foram distribuídos. Em pouco tempo, todos os franceses em seus postos encheram de terror os portugueses.

[2] Francisco I. Foi seu filho, o rei Henrique II, quem financiou a expedição de Villegagnon.

[3] NÓBREGA, Pe. Manuel da. *Cartas do Brasil e mais escritos.*

A ilha que os índios chamavam Seregipe e hoje conhecemos por Villegagnon nem era assim tão grande para infundir terror.[4] Fincada no meio da Guanabara, mais próxima do Rio que de Niterói, tinha a forma de elipse, comprida uns 300 metros com 100 de largura. Na face curta que encarava a entrada da baía, não havia praia: pedras punham-se no caminho, escarpadas, impedindo que qualquer navio se aproximasse o suficiente para disparar tiros de canhão. No centro, sobre um rochedo, construíram uma casa de madeira onde viveu Nicolas Durand. À frente, cinco torres de alvenaria protegiam os homens em caso de ataque. O resto, abrigos para umas 80 pessoas, "era feito [de madeira e palha] à moda indígena".[5]

"A mim parece que não se viu outra fortaleza tão forte no mundo", escreveria meses depois o governador Mem de Sá, sem pudores no exagero.[6] "Havia nela 74 franceses e alguns escravos, depois entraram mais de 40 dos que estavam na nau e outros que andavam em terra." Surpresa perdida, sem chances de vitória, os portugueses nos botes fizeram o que lhes restava fazer e tomaram o navio abandonado.

Conforme o dia foi avançando imóvel e as notícias de quem havia tentado o ataque chegavam aos navios que ficaram de fora, no oceano, a moral da tropa foi se esvain-

[4] Rio dos siris. SAMPAIO, Theodoro. *O tupi na geographia nacional.*

[5] LÉRY, Jean de. *Viagem à terra do Brasil.*

[6] FRAGOSO, Gal. Augusto Tasso. *Os franceses no Rio de Janeiro.*

do. A vista tão de perto das escarpas ao forte amedrontou todos. A tensão de antes do ataque, seguida do alívio pelas vidas que não chegaram a correr riscos, atiçou um motim. Não iriam. Não lutariam. De nada lhes valia aquilo assim.

Na nau capitânia, o governador viu que precisaria de mais gente. Tinha portugueses demais a bordo e, para eles, a única motivação era cumprir a vontade de suas majestades em Lisboa que desejavam ver os franceses expulsos. Ou seja: motivação quase nenhuma. O governador Mem de Sá precisava de mais gente e, se possível, gente com vontade de travar esta batalha. Foi quando o padre Nóbrega lançou mão da pena e escreveu aos de São Vicente e São Paulo de Piratininga.

E as notícias que recebia eram desanimadoras.

"Sou velho", escreveria à rainha.[7] "Tenho filhos que andam desagasalhados, uma filha que está no mosteiro de Santa Catarina de Sena, em Évora, o frei Luiz de Granada mandou que saísse. Não sei como foi deitar na rua uma moça assim, sendo filha de quem a anda servindo no Brasil."

O governador estava para completar 60 anos. Era da nobreza miúda e filho de padre, o cônego Gonçalo, de Coimbra. Num país como Portugal, tinha o tipo de perfil que permitia alguma proximidade da corte, mas que impunha dificuldades na ascensão hierárquica. Aceitar a governança no Brasil foi um atalho para crescer e puxar junto à

---

[7] FERREIRA, João da Costa. *A cidade do Rio de Janeiro e seu termo.*

família. Trouxe o filho que perdeu e uma penca de primos jovens, sobrinhos no dizer da época.

Um deles, rapaz com 20 anos recém-completados, chamava-se Estácio e comandava uma das galés que o acompanhou na missão ao Rio.

Mem de Sá talvez pudesse ter sido poeta, como o irmão Francisco Sá de Miranda – o primeiro humanista português, antecessor de Gil Vicente e Luís de Camões. Mas essas coisas requerem um talento muito específico. Foi ser advogado e juiz. No fim da carreira, o que lhe restou foi o Brasil.

MEM DE SÁ ERA ADMINISTRADOR NATO. ESTAVA NA COLÔNIA FAZIA POUCO MAIS DE UM ANO E, NO ENTANTO, JÁ TINHA FEITO MAIS DO QUE SEUS DOIS ANTECESSORES EM SEIS. ENCARAVA O TRABALHO COM SERIEDADE, MAS QUERIA VOLTAR AO REINO.

E mesmo isso não ia bem. No reino, mesmo este seu trabalho não era visto com os melhores olhos – a rede de intrigas da corte funcionava a todo vapor. A perda de Fernão e o abandono de Felipa, sua filha, completavam seu pequeno drama particular naquela terra esquecida.

Agora, o motim – uma revolta apoiada por ninguém menos que o almirante Bartolomeu de Vasconcellos da Cunha, nobre de primeira grandeza, o homem que tinha vindo do reino só para o comando militar desta conquista. No fim, como desde o início, Mem tinha apenas seus amigos jesuítas e os brasileiros com quem contar.

Mas havia ainda uma vaga possibilidade de solução sem desgaste. "El-Rei de Portugal", escreveu Mem de Sá ao comandante inimigo Bois-le-Comte, "sabendo que Villegagnon, vosso tio, lhe tinha usurpado esta terra, foi se queixar a El-Rei de França, que respondeu que, se cá estava, que lhe fizesse guerra e botasse fora, porque não viera por suas ordens. E como não acho Villegagnon aqui, estás vós em seu lugar, peço em nome de Deus, de vosso rei e do meu, que largueis a terra alheia e vos vades em paz sem querer experimentar os danos que sucederão da guerra."[8]

Política, na paz como na guerra, é um jogo de pequenas hipocrisias. A França Antártica tinha sido um empreendimento particular de Villegagnon, é verdade. Mas a realeza da França o incentivou de bom grado. Se mudou de humor é porque, cinco anos após fundada a colônia, tinha criado mais problemas do que soluções. Dificilmente Mem de Sá tinha esperanças de que o senhor de Bois-le-Comte oferecesse a rendição. A carta do governador serviu para ganhar tempo, mas foi também um gesto de vaga elegância entre cavalheiros.

Com a resposta francesa, a insubordinação se agravou. "Não é meu papel julgar de quem é a terra do Rio de Janeiro", escreveu Bois-le-Comte. Sua missão era, isto sim, "fazer o que o senhor Villegagnon, meu tio, me mandou, que é sustentar e defender esta sua fortaleza, e que assim hei de cumprir, ainda que me custe a vida e muitas vidas."

[8] MARIZ, Vasco; PROVENÇAL, Lucien. *Villegagnon e a França Antártica.*

Pedia ainda ao governador "que não queira ser homicida e retorne em paz."[9]

Parecia que meses de trabalho iam fora. O cavaleiro de Villegagnon tinha deixado a França Antártica rumo a Paris em maio do ano anterior, 1559. Como Mem de Sá, também a sua fama não ia bem no reino, obrigando-o a uma viagem para buscar novo patrocínio à colônia. O desânimo tomou conta dos cento e poucos franceses que restaram. No auge, foram mais de 600 e no entanto, naquele clima de cada um por si que nasceu, um tomou a decisão de trair.

Chamava-se João Cointa, senhor de Boulez, e não tinha um pingo de caráter. É daqueles personagens que entram na história pelo contrabando – teria relevância nenhuma, não tivesse decidido trair os seus. Poderia ter sido personagem dum romance de Alexandre Dumas, aqueles tipos pequenos, sempre tecendo uma intriga na qual terminam se enrolando. Era advogado, bom espadachim da pequena nobreza, aventureiro, bajulador.

Foi este impulso da aventura que o levou a juntar suas coisas para ir à Inglaterra, quando soube que uma expedição estava deixando a França para reforçar o trabalho de Villegagnon. Chegou ao Rio com Bois-le-Comte em março de 1557. Ciente de que encontrar mulheres brancas no Brasil seria difícil, tratou ainda na viagem de fazer a corte a uma

[9] MARIZ, Vasco; PROVENÇAL, Lucien. op. cit.

das poucas moças protestantes que os acompanhavam. Com ela, casou em maio, no rito da religião reformada.

Era um confuso boquirroto. Na França Antártica, enquanto Villegagnon ainda achava por bem tratar com cerimônia os protestantes, fez-se calvinista. Quando os humores do vice-rei mudaram, também Cointa mudou, abraçando o catolicismo. E, quando Villegagnon os deixou para tomar o rumo do reino, Cointa chegou à conclusão de que precisava ele próprio arrumar sua passagem de volta à Europa.

FOI GRAÇAS À TRAIÇÃO DO SENHOR DE BOULEZ QUE UM BOCADO DE GENTE SE SALVOU. ELE TINHA DEIXADO PARA TRÁS A MULHER E QUAISQUER ESCRÚPULOS QUE LHE RESTAVAM. E, ASSIM, DESPERTOU O INTERESSE DO PADRE JESUÍTA MANUEL DA NÓBREGA.

A oportunidade surgiu não pelas mãos francesas, mas pelas dos índios tamoios. Eles organizaram com cuidado um ataque aos engenhos de Santos e, na sequência, outro a São Vicente. O senhor de Boulez se juntou ao grupo e, num lance de distração, fugiu para alertar os portugueses.[10] Foi graças à sua traição que um bocado de gente se salvou. Ele tinha deixado para trás a mulher e quaisquer escrúpulos que lhe restavam.[11] E, assim, despertou o interesse do padre jesuíta Manuel da Nóbrega.

[10] MELLO, Carl Egbert H. Vieira de. *O Rio de Janeiro no Brasil quinhentista.*

[11] Seu casamento é confirmado por vários testemunhos. Perante o tribunal do Santo Ofício português, anos mais tarde, declarou-se solteiro. É provável que tenha abandonado a mulher, mas é possível que ela tenha morrido antes de sua deserção.

Passaram-se dias até que o bergatim, canoas e lanchas vindos de Santos e São Vicente chegassem em socorro à frota ancorada na saída da Guanabara.[12] Nem tinha sido necessária a carta do padre Nóbrega. Quando souberam da intenção do governador de fazer o ataque, juntaram as forças que podiam para unir-se ao grupo antecipadamente, e a correspondência os encontrou a caminho.

Estes eram em tudo diferentes dos marinheiros amotinados vindos de Lisboa. Muitos tinham nascido no Brasil, vários filhos de índio com branco, outros já moravam no país há tantos anos que já não se sentiam mais europeus. Suas vidas eram marcadas pela constante troca de alianças e guerras com os nativos. Sua língua em casa, apesar da pele branca, era o tupi. Suas redes de confiança não dependiam do que pensavam ou falavam na corte. Conheciam-se uns aos outros, e aos padres jesuítas, e ao próprio governador, por já terem estado em batalha juntos. Por terem chorado a morte de gente querida juntos. Para eles, a expulsão dos franceses naquele momento em que a chance permitia era questão muito simples. Ou o faziam, ou terminavam expulsos.

Na nau capitânia encontraram Mem de Sá acuado, conforme descreveu o padre Nóbrega. "Toda gente o contradizia porque já tinham espiado bem tudo e parecia-lhes

[12] Pequena embarcação de dois mastros, velas e remos, veloz para regata.

coisa impossível entrar no forte. Sobre isso fizeram [ao governador] muitos desacatamentos e desobediências."[13]

Os franceses no Rio de Janeiro já eram, há muito, foco das preocupações de Manuel da Nóbrega. Ele acreditava que o domínio português só estaria garantido com a eliminação daquele colônia – e temia que ela pudesse expandir--se. Aos 42 anos, vivia há dez no Brasil. Conhecedor já da competência dos índios na guerra, o padre sabia que, se a aliança entre os dois grupos inimigos fosse manobrada com esperteza, a missão da França poderia tornar-se imbatível. Para sua aflição, achava que era só uma questão de tempo.

Manuel da Nóbrega era um padre da Contrarreforma: não tinha olho para dogmas ou rituais. Via qualquer regra muito rígida como obstáculo para o bom funcionamento das coisas. Era um pragmático, político talentosíssimo, leal aos amigos. Apesar da má circulação crônica em suas pernas que dificultava o andar nas trilhas irregulares e barrentas por dentre a mata, gostava do novo país. De alguma forma, encontrou no Brasil o espaço para agir que em Portugal não lhe foi permitido. Era gago. Na terra de ninguém, onde homens com seu preparo e inteligência eram poucos, a dificuldade de falar era facilmente ignorada. Nos bastidores da igreja europeia, competindo com gente de melhor oratória e onde a pompa imperava, seu crescimento seria dificultado.

[13] NÓBREGA, Pe. Manuel da. op. cit.

Foi por seu intermédio que o traidor francês, João Cointa, veio encontrar governador-geral. Tendo salvo os vicentinos dum ataque tamoio, Cointa foi ser hóspede de Giuseppe Adorno, um italiano de Gênova há várias décadas brasileiro, pai de brasileiros, dono de um dos raros engenhos produtivos em São Vicente. Na casa de Adorno, o padre e o francês se conheceram.[14]

O assunto preferido de Cointa era religião, Reforma e Contrarreforma. Se entre os protestantes gostava de defender hábitos de católico escorreito, entre os católicos de São Vicente sua verborragia foi contaminada pelos ensinos de Lutero e Calvino. Em tempos de inquisição, era uma brincadeira inconsequente e perigosa. Incomodou um bocado vários padres mas não a Nóbrega. No francês, com quem conversava em espanhol, ele via o aliado ideal para a derrota da colônia fundada por Villegagnon. E, do francês, o jesuíta ouviu a notícia que há tanto esperava: o almirante bretão havia deixado o Novo Mundo, mesmo que por curto período. Cointa era o homem certo no momento certo. Afinal, ele conhecia o forte de Coligny como a palma de sua mão. E, se as informações que o aventureiro estava disposto a dar lhe interessavam, Nóbrega sabia que interessariam mais ainda a um amigo seu: Mem de Sá.

Pois foi em finais de 1559 que João Cointa chegou a Ilhéus, na Bahia, para se encontrar com o governador-geral. Anos depois, o francês tentaria explicar seus motivos perante o tribunal do Santo Ofício. "Veio recado de que era

---

[14] ANCHIETA, Pe. José de. *Textos históricos*.

vontade do rei de França a retirada dos franceses do Rio e eu dei o ardil e a maneira para os botar da terra."[15]

Se a ausência de Villegagnon dava a oportunidade para o ataque, faltava reunir gente para fazê-lo.

Também em Lisboa chegavam à conclusão de que o momento era bom – e por outro motivo. Na troca de cartas entre as diplomacias de França e Portugal, o rei Henrique II renegou Villegagnon e sua colônia. Porque era melhor agir antes que ele mudasse de ideia, em novembro aportou em Salvador a armada do almirante Bartolomeu de Vasconcellos. Ele trazia navios, homens e ordens da rainha regente, d. Catarina: era preciso assumir o controle do forte francês e expulsar os estrangeiros.[16]

OS FRANCESES NO RIO DE JANEIRO JÁ ERAM, HÁ MUITO, FOCO DAS PREOCUPAÇÕES DE MANUEL DA NÓBREGA. ELE ACREDITAVA QUE O DOMÍNIO PORTUGUÊS SÓ ESTARIA GARANTIDO COM A ELIMINAÇÃO DAQUELA COLÔNIA. NÓBREGA ERA UM PADRE DA CONTRARREFORMA. ERA UM PRAGMÁTICO, POLÍTICO TALENTOSÍSSIMO, LEAL AOS AMIGOS.

Desde o início Vasconcellos e Mem de Sá tiveram atritos. Se um era a autoridade máxima na colônia, era o outro que trazia ordens e homens para a expulsão dos franceses. Quase que uma intervenção branca. Além do mais, Vasconcellos era mais nobre e mais benquisto perante a corte. Foi

[15] FERREIRA, João da Costa. op. cit.

[16] MELLO, Carl Egbert H. Vieira de. op. cit.

neste clima que deram ali, naquele fevereiro em 1560, perante o imenso monólito do Pão de Açúcar que marcava a entrada da Guanabara.

Na nau capitânia, Vasconcellos, Mem e Nóbrega negociavam seus espaços e o projeto de ataque. João Cointa, ao lado dos três, servia aos lusos de guia do Brasil francês. E, no momento em que os de São Vicente e Santos chegavam para reforçar a trupe vinda do reino, a credibilidade de Cointa estava um pouco mais em baixa. Afinal, a armada tinha ancorado longe demais, o sol veio e se foi, estragando em sua passagem a surpresa da primeira tentativa de ataque. O governador-geral e o jesuíta precisariam contornar o motim, traçar uma nova estratégia e, desta vez, não poderia mais haver falhas.

Há quatro séculos e meio os historiadores discutem aquelas duas dezenas de dias entre fevereiro e março que antecederam a queda do forte de Coligny. As fontes não são muitas. Uma meia dúzia de cartas de gente que estava lá, mais outra meia dúzia de textos escritos a partir de testemunhos nos poucos anos que seguiram ao ataque. E há os lamentos. Imediatamente após a última batalha, o governador-geral escreveu à rainha uma carta contando o que se passou – é uma carta da qual se conhece a existência mas da qual ninguém nunca encontrou cópia.[17] As outras, redigidas nos meses seguintes, já tinham o objetivo

[17] FERREIRA, João da Costa. op. cit.

de justificar o porquê de as ordens não terem sido seguidas à risca.

Mem de Sá e o padre Nóbrega confiavam em João Cointa. O francês expôs o desenho da ilha e do forte. Mostrou que, de frente, qualquer ataque vindo dos navios seria inútil. Atirariam até a pólvora acabar e atingiriam quase nada. Para funcionar, um ataque tinha de vir por trás, com homens desembarcando na praia. Mas um ataque assim teria de ser surpresa – coisa quase impossível, já que seria preciso contornar a ilha. Além do mais, a primeira tentativa frustrou-se. Agora que os franceses esperavam, não restava dúvida de que quaisquer botes seriam recebidos a tiros e flechadas. E balaços de canhão.

Com a chegada dos brasileiros de São Vicente e São Paulo, prontos para a guerra, Mem teve nas mãos o instrumento para desmanchar o motim: questionou a coragem dos homens e os desafiou. Assumiu o comando que dividia com o almirante Bartolomeu de Vasconcellos. Foi no dia 13 de março que o ataque começou. Pode ter sido o quanto demorou para os reforços chegarem. Pode ter sido o tempo necessário para arrefecer a revolta interna. Ou podem ter sido as marés.

Velejadores experientes têm problemas com a entrada da Guanabara. Quando a maré está descendo, e a água sai pela estreitura que separa a baía do oceano, nem com vento a favor dá para entrar. Da mesma forma, quando ela começa a subir, a correnteza é tão forte que os navios são tragados para dentro. No dia 12 de março de 1560, a variação do nível do mar atingiu seu pico. Às 10h, as águas estavam 35cm acima da terra; às 15h, a 1,25m. São 90cm de diferença em cinco horas, uma barbaridade que marinheiro experiente reconhece no olhar. A partir dali, nos dias seguintes, a diferença entre maré baixa e alta seria cada vez menor. Ancorados no Atlântico, se eles queriam aproveitar o impulso das águas para uma entrada em grande velocidade, o dia 13 era perfeito – seria quase igual: variou 84cm.

"O governador mandou ao capitão-mor", Bartolomeu de Vasconcellos escreveria uma década depois ao meirinho que acompanhou a missão, Luís Costa, "que ele desse na fortaleza ao tempo que entrasse a viração, que se fizesse prestes e desse a vela com os seus navios por uma das bandas. Ele, governador, havia de ir pelo outro lado em barcos e navios pequenos com um número maior de pessoas."[18] No fim da manhã, por volta de 11h, meio-dia, as águas começaram a virada, entrando com violência na Guanabara e, com elas, veio toda a frota cercando pelas duas laterais o forte de Coligny. E abriram fogo. Bois-le-Comte não estava – parecia tão tranquilo da invencibilidade que caçava no interior.[19]

A batalha durou dois dias de intensa troca de tiros. Morreu um único francês, embora dentro do forte a luta tenha custado a vida de muitos índios a eles aliados. Em seu

[18] BELCHIOR, Elysio de Oliveira. *Conquistadores e povoadores do Rio de Janeiro.*

[19] FRAGOSO, Gal. Augusto Tasso. op. cit.

poema homenageando Mem de Sá, José de Anchieta, que não testemunhou a luta, descreveu assim: "Trovejam horrendas as altas muralhas e com tiros tremendos espedaçam e arrombam os navios fundeados no meio das águas. O bruto canhão vomita em chamas, pedras e balas, cobrindo o azul do céu de negra fumaça."[20] Morreram 132 portugueses.[21]

Quando a noite caiu no dia 15 de março, já estava próximo do fim o estoque de pólvora português. Todos cansados. Então, protegidos pelo barulho das explosões e gritaria, uns poucos portugueses e índios deixaram seus barcos a nado, discretos, guiados por João Cointa. Sorrateiramente, alcançaram a praia e, agachados, rumaram na direção do paiol do forte. Era meia-noite. Quando os franceses perceberam o que ocorreu, os tiros não vinham mais pelas laterais e de frente dos navios. Agora, vinham também pelas costas e de dentro da ilha, disparados pelo grupo liderado pelo mameluco Manoel Coutinho e pelo português radicado no Brasil Afonso Martins Diabo. Os franceses estavam cercados e impossibilitados de alcançar seus estoques de munição. Ao longo da noite, a luta ainda prosseguiu, até que, no fim da madrugada, os que restavam deixaram a ilha para refugiar-se no continente. O forte de Coligny era português.

---

[20] ANCHIETA, Pe. José de. *De Gestis Mendi de Saa*, original em latim, tradução do Pe. Armando Cardoso.

[21] MARIZ, Vasco; PROVENÇAL, Lucien. op. cit.

Dificilmente dormiram no que restava da noite.

Pela manhã, o padre Nóbrega desembarcou na ilha acompanhado de seus colegas da Companhia de Jesus, Fernão Luiz e Gaspar Lourenço, que tinham vindo com os de São Vicente. Rezaram uma missa. A saúde de Nóbrega se deteriorara rápido naqueles últimos dias. Em suas pernas, feridas espalhavam-se infeccionadas, pus à mostra. Estava inchado em todo o corpo, lembraria Anchieta, ainda noviço, no retorno a São Vicente.

Após a missa, o governador reuniu capitães e Nóbrega para decidir que futuro dar ao forte. Bartolomeu de Vasconcellos não hesitou em lembrá-lo de que as ordens de d. Catarina, rainha regente, eram claras. O forte precisava ser ocupado. "Mas ocupado por quem?" perguntou o governador. Os que já eram brasileiros tinham o que fazer em suas próprias terras – e os que vieram para a batalha, em sua maioria, voltariam ao reino. Na ausência de voluntários suficientes, Mem de Sá deu ordens para que os prédios na ilha fossem arrasados. A vila dos franceses, no continente, arrasada. Quaisquer aldeias indígenas por perto, arrasadas.

Assim, a frota deixou vazia a baía de Guanabara com direção a São Vicente, onde chegou em 31 de março.

A saúde do padre Manuel da Nóbrega melhorou após um longo descanso, mas ficou claro para todos entre os jesuítas que ele não tinha mais forças para comandar a Companhia no Brasil. Foi substituído pelo padre Luís de

Grã. Livre da responsabilidade, Nóbrega pôde dedicar-se à diplomacia, traçando pontes entre índios e portugueses. Daí em diante, contaria sempre com o jovem Anchieta a seu lado.

João Cointa deu de bandeja o forte de Coligny aos portugueses, mas não conseguiu fugir da inquisição. Falou demais sobre Deus. Denunciado como herege pelo padre Grã, foi posto a ferros em Salvador. Finalmente voltou à Europa, mas, em Portugal, enfrentou o processo do tribunal do Santo Ofício. Nóbrega, Anchieta, Estácio e o governador testemunharam por carta a seu favor – de pouco lhe serviu. Condenado ao isolamento num mosteiro dominicano, não demorou muito a convencer os monges de que era, afinal, católico – e assim ganhou alguma liberdade que novamente perdeu por não conter-se nas discussões eclesiásticas. Morreu exilado, na Índia – onde há de ter vivido mais aventuras.

JOÃO COINTA DEU DE BANDEJA O FORTE DE COLIGNY AOS PORTUGUESES, MAS NÃO CONSEGUIU FUGIR DA INQUISIÇÃO. FALOU DEMAIS SOBRE DEUS.

Por conta de sua decisão de pôr abaixo o forte e não colonizar a Guanabara, Mem teve de se explicar à rainha. "Esta terra não se deve nem pode regular pelas leis e estilos do reino. Se Vossa Alteza não for muito fácil em perdoar, não terá gente no Brasil."[22] Em sua defesa, contou sempre com as cartas do padre Nóbrega à família

[22] FERREIRA, João da Costa. op. cit.

real, mas sua aposentadoria em Lisboa ficava novamente adiada.

Estácio de Sá, ainda muito garoto, assumiu o comando da nau francesa tomada no início da batalha. Rebatizou-a Esaura. Já os franceses, uns seguiram o caminho de volta à Europa, outros ligados demais à terra, ficaram na Guanabara. Foram viver com os índios tupinambás e, com eles, ergueram duas novas fortalezas à moda nativa, com cercas de madeira e ocas cobertas com sapê. Não seriam mais protagonistas na resistência aos portugueses ou na guerra que terminaria com a fundação de São Sebastião do Rio de Janeiro.

Uma guerra que, com a derrocada do forte de Coligny, tinha apenas começado.

Rio de Janeiro e a cidade de São Sebastião. Luís Teixeira.
Acervo: Biblioteca da Ajuda de Lisboa.

Mapa do mundo dividido pelo Tratado de Tordesilhas. Na parte superior do mapa, observam-se os "domínios" de Castela (Espanha) e Portugal. Tal divisão foi contestada pelas outras nações europeias.

Acervo: Library of Congress, Geography and Map Division.

Entre a lógica religiosa e a mercantil, o batismo das terras portuguesas na América seria com o nome do primeiro produto explorado por aqui: o pau-brasil.

Terra de Santa Cruz. In: *Descrição de todo o marítimo da terra de Santa Cruz chamado vulgarmente o Brasil*. Por João Teixeira (1640). Acervo: Direção-Geral de Arquivos (DGARQ).

Típica nau portuguesa do século XVI, usada em batalhas e navegações na busca por um caminho para as Índias.

Portuguese Carracks off a Rocky Coast. Acervo: National Maritime Museum, Greenwich, London, Caird Collection.

Abaixo: no mapa português se encontram representadas a fauna e a flora brasileira, além do pau-brasil sendo extraído da terra pelos índios.

Tabula hec regionis magni Brasilis: Terra Brasilis, de Lopo Homem. Acervo: Fundação Biblioteca Nacional – Brasil.

Entrada pela baía de Guanabara.

Capitania do Rio de Janeiro, 1631 (detalhe), de João Teixeira Albernaz (o velho). Manuscrito aquarelado sobre pergaminho. Acervo: Mapoteca do Itamaraty

Festa para o rei Henrique II da França em 1550. Índios tupinambás, animais e comidas trazidas do Brasil para exposição e perplexidade da Europa católica diante da visão do paraíso terreno: promessa de liberdade, felicidade e riquezas.

L'Entrée du très magnanime, très puissant et très victorieux roy de France Henry Deuxième de ce nom, Rouen, 1550. Anônimo. Acervo: Rouen Nouvelles Bibliothèques.

Vista panorâmica de Cabo Frio, local onde foi construída a primeira feitoria do país.

A view of Cape Frio at 5 miles distance. Gravura de James Forbes, 1765. Acervo: Fundação Biblioteca Nacional – Brasil.

Salvador em mapa holandês do século XVII.

S. Salvador, 1624. Acervo: John Carter Brown Library.

Pernambuco mapeado pelos holandeses ainda em 1624.

Pernambuco, 1624. Acervo: John Carter Brown Library.

Nicolas de Villegagnon, líder da França Antártica no Brasil.

Nicolas de Villegagnon. Acervo: Wikimedia Commons — http://pt.wikipedia.org/wiki/Ficheiro:Nicolas_de_Villegagnon.jpg.

André Thevet, o padre franciscano que veio para o Rio de Janeiro com Villegagnon.

Portrait d'André Thevet par Thomas de Leu, 1586. Acervo: Wikimedia Commons — http://pt.wikibooks.org/wiki/Ficheiro:Andre_Thevet_Leu123.jpg.

Villegagnon assiste à missa celebrada por André Thevet na França Antártica, no ano de 1555.

Villegagnon assiste à primeira missa celebrada no Rio de Janeiro em 1555, de Carlos Oswald. Acervo: Palácio São Joaquim.

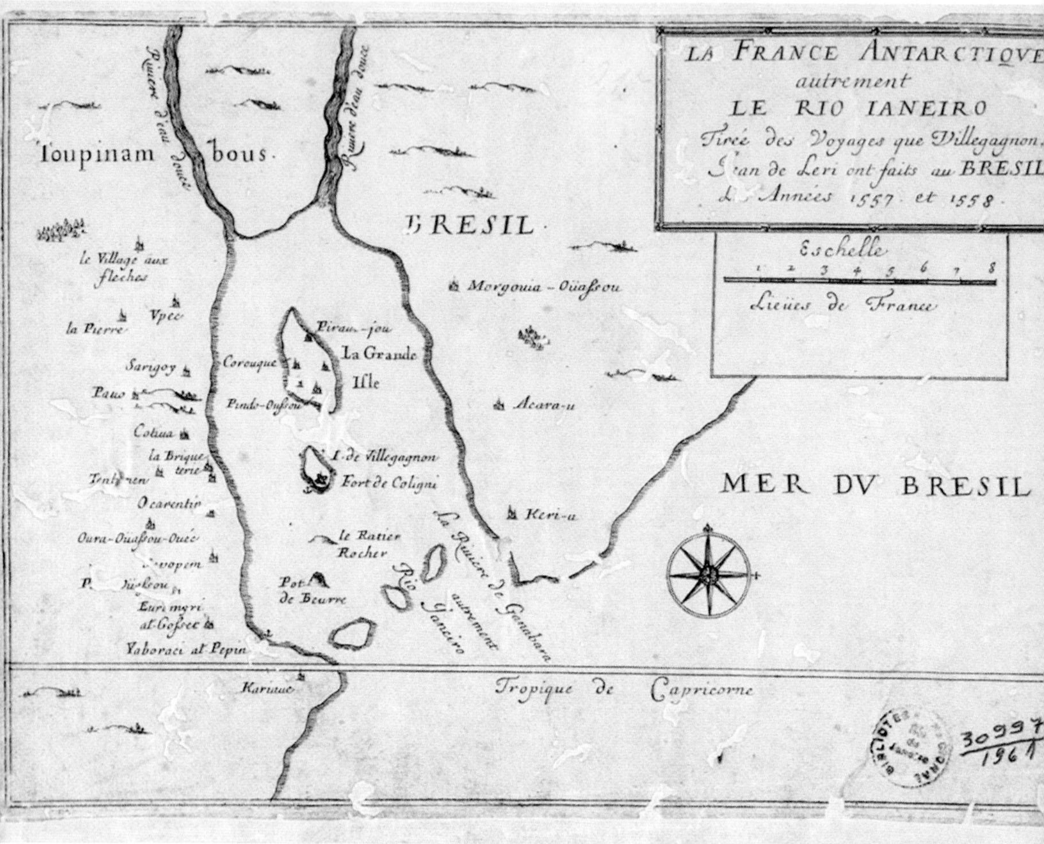

Mapa da França Antártica no Rio de Janeiro.

La France Antartique autrement le Rio Janeiro: tirée des voyages que Villegagnon, et Jean de Leri ont faits au Brésil les années 1557 et 1558. Gravura de Jean de Léry. Acervo: Fundação Biblioteca Nacional – Brasil.

Gaspard de Chatillon, conde de Coligny. Líder huguenote homenageado por Villegagnon no Rio de Janeiro.

Portrait of Gaspard de Coligny, por Pierre Duflos, 1780. Acervo: Stapleton Collection/CORBIS.

O forte de Coligny na ilha de Villegagnon, a antiga Seregipe.

Isle et fort des François [Baía de Guanabara], de André Thevet, 1575. Acervo: Fundação Biblioteca Nacional – Brasil.

O Rio de Janeiro dos mil e seiscentos.

Aparência do Rio de Janeiro, 1666 (detalhe), de João Teixeira Albernaz (o moço). Manuscrito aquarelado sobre papel. Acervo: Mapoteca do Itamaraty.

Mapa do Rio de Janeiro publicado pelos holandeses no ano de 1624. O estudo da costa pelos estrangeiros era um hábito comum.

Rio Genero, 1624. Acervo: John Carter Brown Library.

Presente raro dado às princesas, o açúcar conquista o gosto de novos consumidores e o interesse de franceses e holandeses.

Um engenho, por Johann Moritz Rugendas.

Moulin à sucre. Johann Moritz Rugendas. Acervo: Fundação Biblioteca Nacional - Brasil.

Uma moenda de cana-de-açúcar, retratada por Debret.

Petit moulin a sucre portative, de Jean Baptiste Debret (1835). Acervo: Fundação Biblioteca Nacional - Brasil.

Maranhão, território da França Equinocial, por Frans Post.

Maragnon, de Frans Jansz Post (1647). Acervo: Biblioteca Nacional de Portugal.

A fundação de São Paulo.

Fundação de São Paulo, de Oscar Pereira da Silva. Acervo: Museu Paulista da USP.

João Ramalho realiza a vocação portuguesa para a miscigenação, casando-se com muitas índias e tendo dezenas de filhos. Instalado no Brasil desde o seu naufrágio em 1513, ele é fundamental à criação e sustentação das condições necessárias à fundação da cidade de São Paulo.

João Ramalho e filho, de José Wasth Rodrigues. Acervo: Museu Paulista da USP.

Padres José de Anchieta e Manuel da Nóbrega na cabana de Pindobuçu, em famosa obra de Benedito Calixto.

A cabana de Pindobuçu, de Benedito Calixto. Coleção particular.

A fundação da capitania de São Vicente.

Fundação de São Vicente, de Benedito Calixto. Acervo: Museu Paulista da USP.

A gravura retrata a imagem de um padre José de Anchieta integrado à natureza selvagem do Novo Mundo, dominando-o docilmente.

V.P. Ioseph Anchieta SOCIT. IESV, de Pietro Leone Bombelli. Acervo: Biblioteca Nacional de Portugal.

Mem de Sá.

Mem de Sá, de Manoel Victor Filho. Acervo: Wikimedia commons — http://pt.wikipedia.org/wiki/Ficheiro:Men-de-as.jpg.

João Ramalho auxilia Martim Afonso de Souza na capitania de São Vicente, apontando a direção de Piratininga.

Martim Afonso no Porto de Piaçaguera, de Benedito Calixto. Acervo: Palácio São Joaquim.

Sebastião, o jovem príncipe desaparecido e mitificado que deu nome ao Rio de Janeiro.

Sebastianvs Dei gratia Rex Portvgaliae Arabiae Indiae et Africae, anno 1561. Hieronymus Cock. Acervo: Biblioteca Nacional de Portugal.

Estácio de Sá e padre José de Anchieta partem com a esquadra para o Rio de Janeiro, em 1565, sendo abençoados por Manuel da Nóbrega.

Partida da esquadra de Estácio de Sá de Bertioga para o Rio de Janeiro, em 1565, de Benedito Calixto. Acervo: Palácio São Joaquim.

A aparição de São Sebastião durante a Batalha das Canoas.

Aparição de São Sebastião, de Carlos Oswaldo. Acervo: Palácio São Joaquim.

Uma cidade fundada num lugar exuberante.

Bota-fogo, gravura de Johann Moritz Rugendas. Acervo: Fundação Biblioteca Nacional - Brasil.

Joris van Spilbergen, corsário holandês derrotado por Mem de Sá no Rio de Janeiro.

Portrait of Joris van Spilbergen. Acervo: Wikimedia Commons — http://commons.wikimedia.org/wiki/File:Joris_van_Spilbergen_1568-1620.png?useFormat=mobile.

Salvador Corrêa de Sá e Benevides.

Salvador Corrêa de Sá e Benevides, de C. Legrand (1841). Acervo: Biblioteca Nacional de Portugal.

Ataque a Salvador em 1624.

Attack on San Salvador, de Andries van Eertvelt. Acervo: National Maritime Museum, Greenwich, London, Caird Collection.

O domínio holandês em Pernambuco.

Hanc Tabulam continents laetam Pharnambuci, de Nicolaes Visscher (1640). Acervo: Fundação Biblioteca Nacional – Brasil.

A Batalha dos Guararapes e a expulsão dos holandeses do Brasil.

Batalha dos Guararapes, de Victor Meirelles. Acervo: Coleção Museu Nacional de Belas Artes/IBRAM/MinC.

Um acampamento dos bandeirantes. *Acampamento de bandeirantes.* Acervo: Fundação Biblioteca Nacional – Brasil.

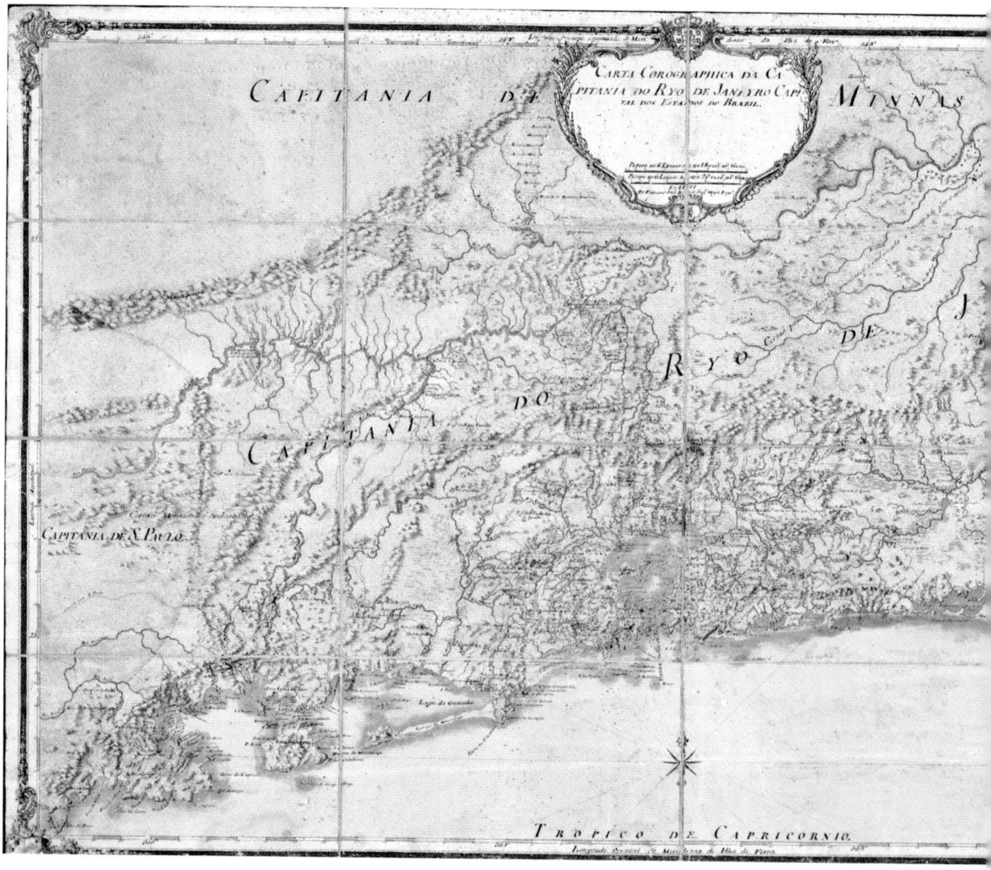

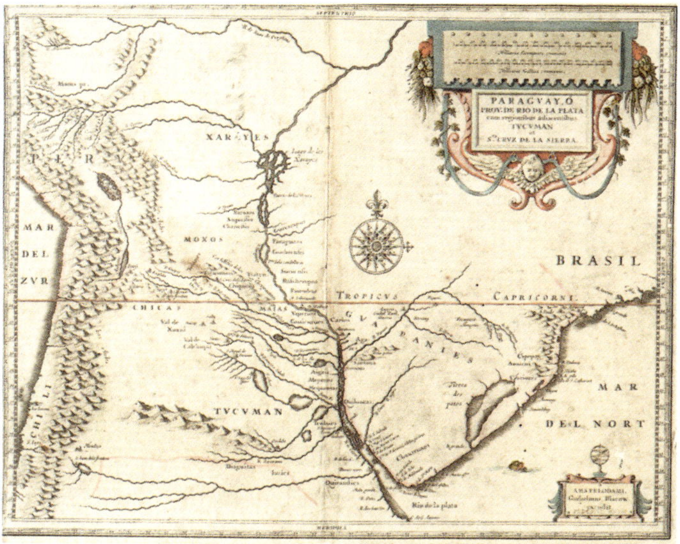

Mapa de 1616 que destaca a região do rio da Prata, estratégica tanto para portugueses quanto para espanhóis, por ser um dos caminhos para Potosí.

Paraguay: ó prov. de Rio de La Plata: cum reionibus adacentibus Tucuman et Sta. Cruz de la Sierra, de Willem Janszoon Blaeu. Acervo: Fundação Biblioteca Nacional – Brasil.

Mapa da capital do Brasil, o Rio de Janeiro. A proximidade com Minas Gerais mudou a importância geopolítica da cidade.

Carta corographica da capitania do Ryo de Janeyro, capital dos estados do Brasil, por Francisco João Roscio (1777). Acervo: Fundação Biblioteca Nacional – Brasil.

Índios dançando na missão jesuítica de São José.

Danse de sauvages de la Mission de St. José, gravura de Jean Baptiste Debret (1834). Acervo: Fundação Biblioteca Nacional – Brasil.

Imagem do ritual canibal das tribos indígenas.

Viagem ao Brasil, de Hans Staden. Acervo: Biblioteca Nacional de Portugal.

Tupiniquins contra tupinambás.

Tuppin Ikin and Tuppin Inwa Indians Battle by Theodor de Bry From America, de Theodor de Bry (1593). Acervo: CORBIS.

Aldeia camacâ, concentrada no sul da Bahia.

Famille d'un chef camacan se preparant pour une fête, gravura de Jean Baptiste Debret (1834). Acervo: Fundação Biblioteca Nacional – Brasil.

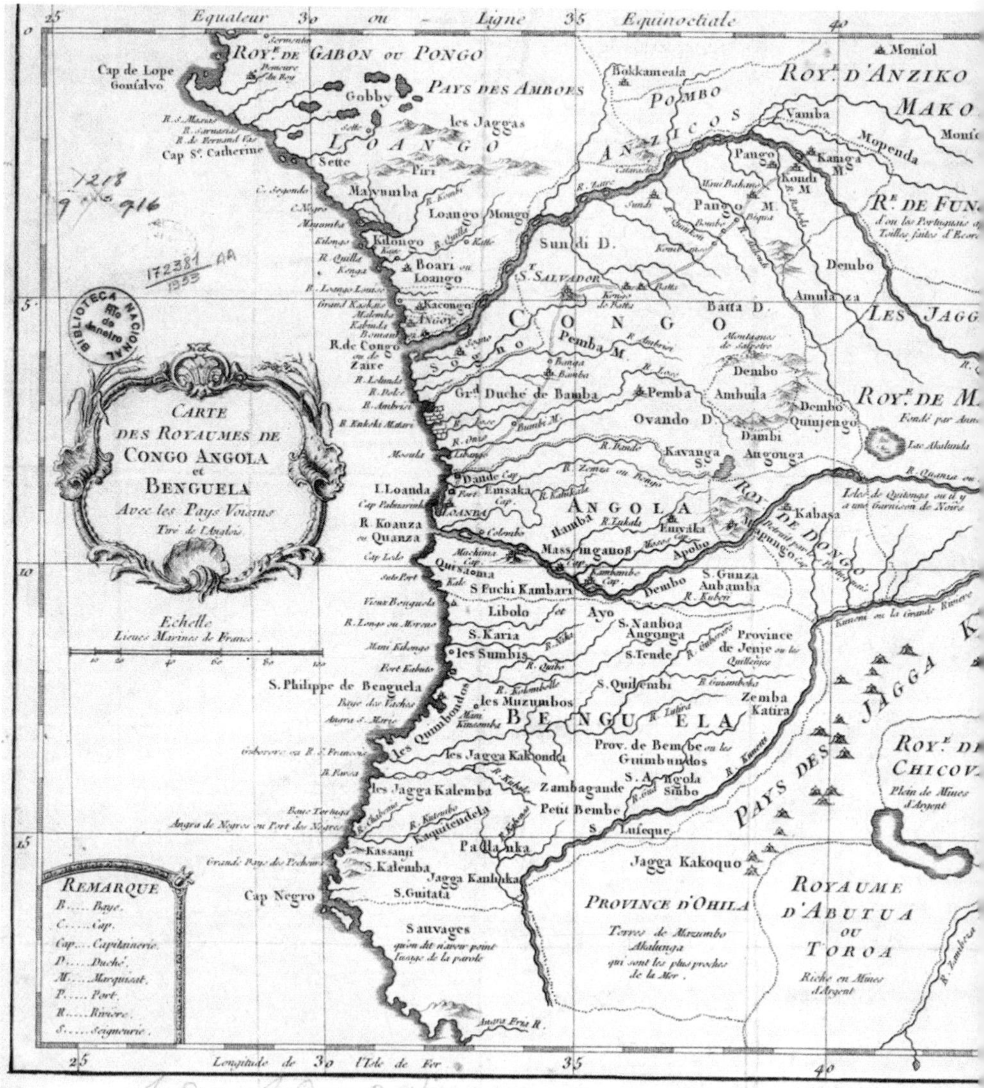

Mapa dos reinos de Benguela, de Angola e do Congo, parte da costa africana de onde saíram muitos escravos para o Brasil.

Carte des royaumes de Congo Angola et Benguela: avec les pays voisins tiré de l'Anglois. Jacques Nicolas Bellin. Acervo: Fundação Biblioteca Nacional – Brasil.

N'Zinga, a rainha angolana de Matamba, parceira dos portugueses à época da conquista lusitana na costa africana.

Anne Zingha, reine de Matamba, por J. Strszewicz. Acervo: Biblioteca Nacional de Portugal.

O Caminho do Ouro: o Brasil fundado para além da costa do Rio.

A Map of the Author's route from Rio de Janeiro to Canto Gallo also to Villa Rica and thro'the centre of the Gold Mines to Tejuco, the Capital of the Diamond Mines & District called Cerro do Frio. John Mawe (1812). Acervo: Biblioteca Nacional de Portugal.

ÁGUAS DE MARÇO

Chovia. O vento sudoeste trouxe violento do oceano nuvens carregadas e chocou-as contra a serra do Mar – condensaram. A chuva engrossou com a vinda da noite. O mar agitou-se perante o choque d'água com água, intranquilo. Dezesseis de fevereiro, 1565. A nau *Santa Maria*, a nova, tombava de um lado e então para o outro, a água salgada invadindo-lhe por cima o convés e, dentro, os homens todos rezando desesperados para que não encontrasse caminho também por baixo. As velas resistiam até o quanto puderam – mas a verga que segurava o traquete, pano redondo à frente do barco, partiu. Aí, um estalo: era o mastro principal. Rachado. Seguro mas por um fio. À frente, avistaram a sombra da ilha Grande, para onde rumaram em busca de proteção para a violência dos ventos e das águas.

Quando o dia 17 raiou, avistaram felizes as outras embarcações que os acompanhariam na missão. Cinco navios pequenos – dois veleiros, três a remo – mais oito canoas indígenas. A bordo da *Santa Maria*, ainda cansado pela noite intensa, o capitão Estácio de Sá reencontrou-se com o irmão José de Anchieta. Estácio precisava de tempo, os danos à nau eram sérios. Mas a escassez de mantimentos para uma longa espera impacientava o povo dos outros barcos. Eles já aguardavam a chegada da nau há dias e queriam entregar-se ao trabalho, erguer logo o princípio da cidade. Estácio assentiu. Enquanto ele e seus homens gastavam mais um ou dois dias para consertar a capitânia, os outros seguiram o caminho da Guanabara, onde esperariam novo encontro.

O tempo lhes foi inclemente. A tempestade açoitou--os um dia após o outro, dividindo a frota ainda mais. No início, ainda pincelavam breu por dentro, isolando as frestas entre as tábuas para conter a água, mas o breu se acabou e a água invadia abundante. Abriram velas quem as tinham, remaram os outros por mais de semana até encontrar a baía. Surrados. Na Guanabara, o irmão Anchieta foi tendo cada vez mais dificuldades de conter os ânimos. Tinham fome, não havia comida. A capitânia e outro barco desgarrado não chegavam. Amotinou-se a trupe, queriam ganhar o continente, invadir uma aldeia qualquer e saquear por víveres. Anchieta negociou mais um único dia – deu sorte: na manhã de 27 chegou a Santa Maria acompanhada do desgarrado. Era hora. Um pouco de descanso, apenas. A água da chuva ao menos aplacava-lhes a sede, e os peixes que os índios aliados traziam enganavam-lhes a fome. E em 28 de fevereiro, vindos de Ilhéus na Bahia, mais três navios de bom porte chegaram com fartura de mantimentos.

No primeiro de março, saltaram à terra.

Foi mais ou menos na época em que Villegagnon chegou ao Rio, por volta de 1555, que os índios juntaram forças. Os tupis eram um povo guerreiro, em constante conflito uma tribo contra a outra. Andavam nus, pintavam-se ritualmente de preto e vermelho, eram exímios pescadores. Nadavam bem, como jamais europeu nadou. Suas canoas, as igaras, eram o principal meio de transporte – feitas com casca de árvore e movidas a remo, podiam levar até 150 homens. Plantavam feijão, milho, amendoim, tabaco, algodão mas, principalmente, mandioca. Era com mandioca que faziam sua bebida alcoólica, o cauim. A mandioca acompanhava todas as suas refeições. Sua arma era o arco e flecha, enormes arcos, mas também lutavam corpo a corpo. Um homem tupi mudava de nome várias vezes ao longo da vida, conforme cruzava fases e matava inimigos. Quanto mais valente, mais nomes. Aos olhos cristãos, tinham a vida sexual promíscua. Cedia-se a irmã ou a mulher ao visitante com gosto.

Mas nada chocou tanto os brancos quanto a antropofagia. Hans Staden, um viajante alemão que andou pela região por esta época, deixou uma vívida descrição do ritual que cabia aos prisioneiros de guerra. [1]"Tiram o prisioneiro da choça e derrubam-na, fazendo um espaço limpo", escreveu. "Em seguida, desatam-lhe a corda do pescoço e a passam em volta do corpo, retendo-a de ambos os lados.

[1] STADEN, Hans. *Duas viagens ao Brasil.*

Fica ele então no meio, bem-amarrado. Muita gente segura a corda das duas extremidades." Carne humana não fazia parte da dieta ordinária dos tupis, era uma guloseima do pós-guerra – e eles viviam em guerra uns contra os outros. Quem fazia um prisioneiro ficava mais respeitável perante a tribo e cuidava de tratar muito bem do sujeito. Dava comida para engordar, oferecia mulheres da família, podia demorar anos até que decidisse pela morte. "Põem perto do prisioneiro pequenas pedras para que as mulheres possam lançá-las, enquanto ficam mostrando-lhe como pretendem comê-lo."

O dia do jantar era preparado com antecedência. Mensageiros lançavam-se na estrada para convidar todas as tribos aliadas para o banquete. Quanto às mulheres, ficavam em casa preparando o cauim, que serviria à embriaguez da festa. "Fazem então uma fogueira a dois passos mais ou menos do escravo. Depois, um homem toma o tacape, coloca-se com ele em frente ao prisioneiro, empunhando-o, para que o aviste. Enquanto isso, afasta-se aquele que o vai matar, com outros 13 ou 14, e pintam seus corpos de cinza."

A crença dos tupis era de que, quando se come um bicho, adquire-se a destreza ou a força, seja qual for sua qualidade. É dos motivos, por exemplo, que evitavam a carne do bicho-preguiça, temendo ficar vagarosos demais na hora da batalha. "A seguir", o texto ainda de Staden, "retoma o tacape aquele que vai matar o prisioneiro e diz Sim, aqui estou eu, quero matar-te, pois tua gente também matou e comeu muitos dos meus amigos. Responde o prisioneiro Quando estiver morto, terei ainda muitos amigos que saberão vingar-me. Depois, golpeia o prisioneiro na nuca, de modo que lhe saltam os miolos, e imediatamente as mulheres levam o morto, arrastando--lhe para o fogo, raspam-lhe toda a pele, fazendo-o inteiramente branco, e tapam-lhe o ânus com um pau, a fim de que nada dele se escape."

Além da bebedeira, os tupis fumavam tabaco durante a festa. "Depois de esfolado, cortam-lhe as pernas acima dos joelhos e então os braços junto ao corpo. Separam após as costas da parte dianteira. Repartem isto entre si. As vísceras, miolo do crânio e a língua são dadas às mulheres. Fervem-nas e com estas fazem uma papa rala que chamam mingau, que elas e as crianças sorvem." Dias depois, ainda era comum uma criança ou outra roendo um dedinho que sobrara. Hoje, alguns antropólogos creem que carne humana era a principal fonte proteica dos índios brasileiros, já que sua caça era em geral de pequeno porte.[2]

Os primeiros desbravadores portugueses foram morar em tribos tupis, principalmente tupiniquins. Foi apenas natural que, deste convívio produtor de muitos filhos mamelucos, surgisse uma aliança. Assim, os inimigos dos tupiniquins na terra aliaram-se aos franceses. Os conflitos corriqueiros entre tribos ganharam grandes proporções, conforme o arsenal de arcos e flechas foi incrementado com machados, espingardas, canhões. Estas aldeias que ficaram contra os portugueses, sempre descentralizadas

---

[2] COUTO, Jorge. *A construção do Brasil.*

e parceiras apenas eventuais, tiveram de confederar-se. Após a expulsão do núcleo francês na Guanabara, veio a certeza de que era preciso resistir de forma organizada ou morrer.

À confederação, batizaram-na Tamuya. Quer dizer avô, o que chegou primeiro na terra. Os portugueses os chamavam tamoios. Eram tupinambás. Entre seus principais líderes, no início, tiveram Cunhambebe, principal de uma aldeia em Angra dos Reis que deixou fortíssima impressão em que o conheceu. Após sua morte, ganhou destaque Aimberê, o principal de uma aldeia na Guanabara.

Ainda existe polêmica, entre antropólogos, a respeito de como funcionava a hierarquia interna dos tupis.[3] As aldeias eram compostas por várias ocas e cada oca tinha seu principal, uma posição de destaque garantida pelo histórico de bravura em batalhas, capacidade oratória e tamanho da família, com muitos filhos e cunhados agregados. O respeito pelos principais variava e, não raro, um se destacava dentre todos da aldeia. Embora existam indícios de que Cunhambebe e Aimberê foram líderes importantes da confederação, é difícil garantir que tenham sido os líderes.

A horizontalidade hierárquica da cultura tupi, aliás, faz chamar ainda mais atenção para o feito que foi estruturar uma grande confederação de tribos a fim de resistir aos portugueses.

---

[3] FAUSTO, Carlos. Fragmentos de história e cultura tupinambá. In: *História dos índios no Brasil.*

O forte de Coligny caiu em 1560 – Estácio só fundou o Rio de Janeiro em 1565. Neste intervalo, a vida na capitania de São Vicente foi um inferno. Na capital, em Bertioga, em Santos, em São Paulo de Piratininga, todas jovens cidadezinhas com várias fazendas nos arredores, não houve tranquilidade perante os frequentes ataques tamoios. As plantações eram incendiadas, os escravos – todos índios – eram libertos, famílias inteiras eram assassinadas. Foi uma heroica guerra de resistência nativa, promovida principalmente pelas tribos que ocupavam o entorno da Guanabara, entre Cabo Frio e Angra dos Reis – o Rio de Janeiro no meio.

O CERCO A SÃO PAULO DE PIRATININGA MOSTRA COMO ERA COMPLEXA A CISÃO ENTRE OS TUPIS. NUMA LUTA CHEIA DE TRAIÇÕES, NA QUAL ESPADAS, TIROS DE CANHÃO E ESPINGARDA CONVIVERAM COM ARCOS E MUQUES DE AMBOS OS LADOS, MORREU MUITA GENTE, MAS SÃO PAULO RESISTIU.

Foi em 25 de março de 1554 que se rezou a primeira missa no colégio dos Jesuítas de São Paulo de Piratininga, data que marca a fundação da cidade.[4] Nela estava presente o irmão Anchieta. Em 1562, já era uma pequena vila cercada por muro – e, neste ano, sofreu seu pior cerco. O capitão – chefe militar e político – de Piratininga era João Ramalho, um português há tanto no Brasil que já era quase índio. Mas também um bocado português: seu negócio era

[4] TOLEDO, Roberto Pompeu de. *A capital da solidão.*

a captura e revenda de escravos. Por sogro, Ramalho tinha Tibiriçá, o principal dos índios guaianazes, convertido ao cristianismo.

O cerco a Piratininga mostra como era complexa a cisão entre os tupis. Enquanto Tibiriçá lutava com os seus ao lado dos portugueses, do outro lado, atacando junto com a turma de Aimberê, estavam Araraig e Jagoanharo, seu irmão e seu sobrinho. Numa luta cheia de traições, na qual espadas, tiros de canhão e espingarda conviveram com arcos e muques de ambos os lados, morreu muita gente, mas São Paulo resistiu. Em todo o Brasil, não havia 5.000 portugueses. Os índios contavam-se às centenas de milhares. A pólvora não era infinita e, em matéria de conhecimento de terreno, os tupis levavam vantagem perante os europeus. Naquele princípio da década de 1560, Portugal quase perdeu o sul brasileiro. Foi o padre Manuel da Nóbrega, acompanhado do irmão José de Anchieta, quem o salvou.

Anchieta era feio. Não bastasse, tinha uma corcunda. Quando estudava em Coimbra, uma escada caiu-lhe nas costas entortando a coluna já frágil por conta duma tuberculose. Nasceu nas ilhas Canárias filho de pai basco. Falava português, espanhol, basco, latim – e tupi, que aprendeu rápido. Ao Brasil, chegou com 19 anos, em 1553, na expedição que trouxe o segundo governador-geral, Duarte da Costa. Anchieta era profundamente culto, um homem dado a transes místicos – e excelente escritor. Sua barba parecia constantemente rala.[5] Trabalhava arduamente e, embora tivesse deixado em Portugal memória de ter a saúde frágil, não a demonstrou no Brasil. Dizia que os ares tropicais lhe faziam bem. Andava ligeiro, o que lhe valeu dos índios o apelido de abarábebe, padre voador. Era rigoroso, duro na disciplina. Aos tupis, uma vez escreveu, "a espada e a vara de ferro eram a melhor pregação".

Convicto de que era sua missão trazer a palavra do Deus católico aos índios brasileiros, foi, como Nóbrega, sempre avesso à sua escravidão. Principalmente, José de Anchieta era um otimista dedicado e corajoso. Entre seus pares, foi desde o início profundamente respeitado. Como demorava muito para alguém se ordenar padre na Companhia de Jesus, durante anos serviu como noviço, um mero irmão. Mas, mesmo sem autoridade para rezar missa, era professor dos padres todos. Quando Nóbrega o enviou ao Rio junto a Estácio para a fundação, também o acompanhou o padre Gonçalo de Oliveira para ministrar as cerimônias. Não foi sem um alerta: "O padre, por ser sacerdote", disse Nóbrega, "será superior; mas lembrar-se-á, pois o irmão [Anchieta] foi seu mestre, do respeito e reverência que lhe deve e de tomar seus conselhos."[6]

A relação com Nóbrega já vinha sendo formada fazia anos. Após o cerco a São Paulo, o velho padre tomou para si a responsabilidade de firmar algum tipo de cessar-fogo

---

[5] THOMAZ, Joaquim. *Anchieta.*

[6] FERREIRA, João da Costa. *A cidade do Rio de Janeiro e seu termo.*

com os índios. Para isso, precisaria de Anchieta, não apenas o mais capaz dentre aqueles que estavam na Companhia de Jesus, como também um fluente intérprete de nhengatu, a "língua boa" dos tupis. Em abril de 1563, os dois desceram o planalto em direção a Bertioga, onde pegaram carona no navio de Giuseppe Adorno, o genovês que um dia, fazia já uns anos, hospedou o traidor francês João Cointa. Adorno "vestia o saio negro dos cavaleiros cruzados, a sua longa espada descansando sobre o joelho, sereno e altivo, em meio do gentio feroz e carniceiro", descreveu o irmão José.[7] Tê-lo próximo, mesmo que a alguma distância durante as negociações, era garantia de tranquilidade. Como não era português, mas italiano, os índios não lhe eram tão hostis.

De aldeia em aldeia, os dois religiosos andaram a pé, litoral acima, por vezes com Anchieta carregando Nóbrega e suas varizes às costas tortas. Em maio, chegaram a Iperoígue, onde hoje está Ubatuba. O principal de lá, Coaquira, era desconfiado dos portugueses mas não de Anchieta, que já o havia salvo de doença. Ele concordou em realizar uma grande reunião – e de todas as partes vieram os chefes tamoios. Os nativos tinham queixas duras. Disseram que não haviam sido eles a iniciar a guerra – que os lusos os tratavam com desprezo, como burros de carga, que os escravizavam. Manuel da Nóbrega assentiu e argumentou que Deus castigava os europeus com a guerra – mas que agora propunham paz.

[7] BELCHIOR, Elysio de Oliveira. *Conquistadores e povoadores do Rio de Janeiro.*

Coaquira, o anfitrião em Iperoígue, pôs-se ao lado dos padres. A ele seguiram Pindobuçu, principal dos amborés, cuja aldeia ficava ao pé da pedra da Gávea, no Rio. E também Cunhambebe, o grande líder em Angra dos Reis. O jovem principal Aimberê, que também tinha aldeia na Guanabara, manteve-se cético. Uma de suas filhas era casada com um francês remanescente da expedição de Villegagnon. Mais tarde Anchieta o descreveria como um "homem alto, seco, de semblante triste e carregado, de quem tínhamos sabido ser muito cruel".[8]

Foi uma longa negociação, que envolveu ainda visita de vários dos índios a São Vicente, enquanto Anchieta era mantido refém. Nesse período, conta a tradição, escreveu seu longo poema à Virgem Maria nas areias de Ubatuba. Por fim, fizeram a Paz de Iperoígue, o que deu aos portugueses espaço para respirar. De ambos os lados, mantiveram-se desconfiados – e, fatalmente, um trairia, a história não deixa claro quem foi o primeiro.

Do episódio sobrou apenas uma certeza aos portugueses. Um cessar-fogo permanente não viria. Podiam manter-se na defesa ou partir para o ataque – e o ataque era dominar a terra onde se concentravam os índios inimigos: a Guanabara.

Esta certeza foi construída aos poucos, por motivos diferentes, em lugares diversos. Nas jovens cidades paulistas,

[8] QUINTILIANO, Aylton. *A guerra dos Tamoios.*

era aquela convicção que se tem a partir de prejuízo no bolso e ferida na carne. Precisavam de tranquilidade, de paz, e não apenas para ter os escravos dóceis e os engenhos de açúcar sem perigos de saque. Naquele princípio de década, Brás Cubas, um dos homens mais ricos e ambiciosos da capitania de São Vicente, descobriu um veio de ouro.[9] Em seu naco de América, os espanhóis já haviam encontrado minas várias – os portugueses, nada. Mas a esperança do Eldorado estava lá, vívida. Com a constante agressividade tamoia, o sonho bandeirante de largar-se mata adentro à procura de fortuna em escravos e metal atrasava. Era preciso dobrá-los. Cortar-lhes as asas.

Não é que à rainha regente d. Catarina não interessasse o ouro. Só não levava muita fé em sua existência. Eram as capitanias de cima, o nordeste brasileiro rico em açúcar, que se mostravam lucrativas. Não o sul. Ali era terra de pau de tinta, pau-brasil. O que fazia as majestades perderem o sono mesmo era a França e sua ameaça à exportação de tinta vermelha. Eles já haviam erguido uma colônia na Guanabara e, de Portugal, era difícil avaliar o tamanho da ameaça. Apesar da expulsão dos colonos, uns trinta franceses ainda viviam entre o Rio e Cabo Frio, o tráfico de pau-brasil era constante.[10]

O patrono político do Rio de Janeiro é o padre Manuel da Nóbrega. Em Iperoígue, conheceu pessoalmente os líderes inimigos. Testemunhou pessoalmente o sofrimento

---

[9] QUINTILIANO, Aylton. op. cit.

[10] Segundo depoimento de Anchieta.

imposto pela guerra constante, assim como testemunhou a expulsão dos franceses. Correspondente de d. Catarina e, principalmente, de seu irmão, o infante d. Henrique, também sacerdote católico, Nóbrega insistiu carta após carta na necessidade da fundação de uma cidade na Guanabara. Lá, argumentava, estava a chave para defender-se de uma nova invasão francesa.

Aos brasileiros e europeus que escolheram o Brasil, o Rio interessava para se defenderem dos índios inimigos. Mas foi com o argumento do perigo francês que Nóbrega convenceu Portugal. A Coroa considerava que tinha sido uma falta grave a não fundação de uma cidade após a derrota de Bois-le-Comte. Foi uma decisão que perseguiria Mem de Sá, adiando ainda mais sua volta a Portugal. Assim, foi Estácio, seu sobrinho, quem receberia da realeza a missão de fundar o Rio.

Estácio seguiu para Portugal em 1561, no comando de uma nau capturada aos franceses nos embates que liquidaram com o forte de Coligny. Demorou quase dois anos para deixar o Brasil, dada a necessidade de ajudar nas defesas de São Vicente e, mais tarde, por conta da obrigação de depor no processo que a Santa Inquisição moveu contra o traidor dos franceses, João Cointa.

Chegou de volta à Bahia incumbido da missão de fundar o Rio em meados de 1563. No final do ano, tomou o rumo da Guanabara com ordens de seu tio, o governador-geral: que ao chegar fizesse um certo alvoroço para trazer os índios ao mar, onde seria mais fácil combatê-los. Que "podendo tomar conselho com o padre Nóbrega, não fizesse coisa de importância sem ele".[11] Um puxão de orelhas ligeiro dum tio preocupado que vê o sobrinho, tão jovem, encarregado de coisa difícil.

Não exatamente sobrinho – isto é coisa do dizer do tempo, que primos jovens de alguns graus eram sobrinhos. O trisavô de Estácio, Rodrigo Agnes de Sá, era bisavô do governador. Ao partir da Bahia para fundar o Rio, o rapaz devia ter algo entre 18 e 19 anos – a história fez dele um personagem obscuro. Não deixou nada de mais pessoal escrito, não há sequer uma certidão de nascimento.[12] E o peso da primeira grande responsabilidade o fez inseguro. Jamais sem coragem de arriscar a própria vida – inseguro, sim, de que decisões tomar.

O primeiro plano não deu certo. Vindo da Bahia, Estácio aportou no Espírito Santo, onde ganhou o reforço de um figurão da área, Belchior de Azevedo, além de um grupo de índios temiminós liderados pelo chefe Arariboia. A eles juntou-se ainda Paolo Adorno, que viera de Ilhéus. Adorno vivia já há tempos no Brasil, para onde viera com o irmão Giuseppe. De família genovesa nobre, juntou seu sangue à nobreza da terra, casando-se com Felipa Álvares, filha de Diogo Álvares Caramuru com a índia Paraguaçu.

Formaram esquadra: a nau *Santa Maria*, a *Nova*, acompanhada de um galeão, seis caravelas, uma galeota, um caravelão, uma galé e várias canoas. Romperam juntos a barra

[11] FERREIRA, João da Costa. op. cit.

[12] FERREIRA, João da Costa. op. cit.

da Guanabara em fevereiro de 1564 e desembarcaram na ilha de Villegagnon, construindo várias palhoças. E mandaram carta para Nóbrega pedindo que o viessem encontrar.

Uma noite, bem discreto, um grupo remou em três barcos silenciosos ao continente, para recolher água no rio Carioca.[13] De repente estavam cercados e sobreveio um mar de flechas, os tamoios berrando. O contramestre da capitânia foi o primeiro a cair morto. Oito homens, feridos. Da ilha, Paolo Adorno partiu deliberado em sua galeota para o resgate – fez um prisioneiro.

E a praia encheu-se.

Centenas, milhares de índios. Batiam no chão, gritavam a plenos pulmões, disparavam flechas inúteis ao mar, deixando claro que não eram bem-vindos. Na ilha, só lhes restava tratar os feridos e enterrar os mortos. Sem nenhuma notícia de Nóbrega.

Os mantimentos iam rareando, missões ao continente para colher água eram arriscadas, e o prisioneiro revelou que havia guerra em São Vicente, a paz de Iperoígue definitivamente rompida.

Hora de deixar a Guanabara, ainda não seria dessa vez o nascimento da cidade.

Primeiro, seguiram uma das caravelas e o caravelão. Na saída da baía, viram-se cercados por dezenas de canoas. O comandante do caravelão foi varado por seis flechas, corpos caindo mortos ao seu redor. Com machados, próximos ao casco do navio, os tamoios seguiam abrindo-lhe nacos

---

[13] FERREIRA, João da Costa. op. cit.

para forçar o naufrágio. Um tiro maldisparado dum canhão explodiu dentro, ferindo outros tantos portugueses – mas por dentre os buracos abertos a machadadas resistiram com tiros de espingarda até conseguirem safar-se e retornar a São Vicente.

O resto da expedição deixou a Guanabara em 30 de março, incluindo a nau do capitão Estácio. Infeliz coincidência. No dia seguinte, Sexta-Feira Santa, chegou o navio solitário com Nóbrega e Anchieta. Desembarcaram na ilha de Villegagnon mais ou menos quando o vento sudoeste anunciava-se violento, formando a tempestade que não tardaria por alcançá-los. Um cenário de terror. Cabanas queimadas, corpos desenterrados, espalhados pelos índios, crânios partidos. Chuva caindo cada vez mais forte. Aí as canoas voltando, cercando a ilha, a chuva de flechas. Não havia escapatória. Sozinhos e cercados num cemitério aberto.

E a *Santa Maria*, a *Nova*, cruzou a boca da Guanabara, de volta, naquela madrugada de 1º de abril. Salvaram-se todos. Pega de surpresa pela tempestade, decidiu tornar à baía para proteger-se quando encontrou os padres em apuros. Não é à toa que acreditavam em milagres. Partiram todos juntos no dia 2, após a missa de Páscoa.

Araí-boia quer dizer cobra da tempestade, nome de uma serpente aquática verde-escura.[14] Era o nome de um

---

[14] FAZENDA, José Vieira. *Antiqualhas e memórias do Rio de Janeiro.*

índio temiminó que a história lembraria por Arariboia. Os temiminós eram naturais da Guanabara, sua principal aldeia ficava na ilha de Paranapuã, hoje do Governador. Em princípios da década de 1550, quando o principal ainda era Maracaiaguaçu – Gato Grande –, hospedaram o padre Nóbrega e converteram-se ao cristianismo. Com a invasão francesa, terminaram expulsos e foram abrigar-se no Espírito Santo, onde Arariboia assumiu o comando após a morte de seu antecessor. Por conta de Maracaiaguaçu, durante muito tempo ainda os portugueses conheceriam a ilha do Governador como ilha do Gato.

Porque era fidelíssimo aos portugueses, também excepcional guerreiro – e porque conhecia muito bem o lugar –, Mem de Sá aconselhou Estácio a não partir para a guerra sem ter Arariboia ao seu lado. Quando deixaram a Guanabara, naquele 2 de abril em 1563, Arariboia seguiu para São Vicente, onde foi batizado Martim Afonso. Este era o mesmo nome cristão que Tibiriçá, em Piratininga, adotara – o nome de Martim Afonso de Souza, que havia mapeado o litoral brasileiro décadas antes e fundado a capitania de São Vicente. A expulsão dos tamoios teria para Arariboia um gosto muito particular: era o seu retorno, a vitória após a derrota – sempre os conflitos entre franceses e portugueses encontrando paralelos entre as cizânias tupis. Afinal, assim como a maioria dos tamoios era tupinambá, os temiminós eram aliados dos tupiniquins.

A guerra na capitania de São Vicente era geral.

Em São Paulo, Bertioga, Santos – todo lugar sofria ataques constantes. Estácio subiu o planalto para ajudar em São Paulo, seus homens dividiram-se e espalharam-se. Os ânimos começaram a mudar. A curta experiência na Guanabara tinha sido de terror – o lobby para deixar de lado os planos de uma cidade começou a aumentar. Tinham um argumento sólido: comida. Os índios eram da terra, tinham suas aldeias assentadas há anos. Cercada de inimigos, a nova cidade viveria do quê? Sair à caça seria sempre um risco, água poderia ser um problema e hortas demoram tempo para crescer. Estácio entrou em depressão, o peso da responsabilidade já grande. Em cada missa, em cada visita particular, em todo momento livre que tinha, Nóbrega ia a pé, de vila em vila, pelas fazendas, dedicado ao trabalho de arrecadar recursos e homens e convencer a quem fosse possível de que só uma cidade no núcleo dos tamoios poderia trazer paz.

E, quando podia, ia visitar Estácio, hospedado numa propriedade próxima à cidade de São Vicente. O rapaz, que passava os dias ouvindo conselhos de deixa disso, preocupava-se com o futuro de sua carreira. "Que conta darei a Deus e a El-Rei se perder esta armada?", perguntou ao padre. Sempre pragmático, Nóbrega foi claro "Eu darei conta a Deus de tudo", que Deus não tinha nada com isso. "E, se for necessário, irei diante do rei a responder por vós."[15]

[15] FERREIRA, João da Costa. op. cit.

Com o calculado estímulo de Nóbrega, completamente absorto, obcecado com o projeto de cidade, navios e canoas foram construídos, homens foram contratados e pagos com o dinheiro da Companhia de Jesus, mensageiros enviados à Bahia e ao Espírito Santo.

A nau capitânia deixou São Vicente no dia 22 de janeiro, em 1565. De Bertioga, no dia 27, partiram o padre Gonçalo de Oliveira e o irmão Anchieta, acompanhados dos índios aliados vindos de Piratininga e vários mamelucos. Desta vez, além de Paolo Adorno, também iria seu irmão Giuseppe. Marcaram todos de se encontrar na ilha Grande, próxima a Angra, e de lá rumar à Guanabara, onde se reuniriam com mais três navios vindos da Bahia.

O grupo de Bertioga chegou rápido, mas foram vários dias até que a capitânia de Estácio os alcançasse, seriamente avariada pela tempestade.

A história prega ironias. Constantes rivais, o Rio nasceria para que São Paulo sobrevivesse. E nasceu conquistado e fundado, principalmente, por paulistas.

Mas o Rio seria diferente, uma entidade esquizofrênica na colônia portuguesa, ímpar por descolada de todo o resto. Durante mais de três décadas após o descobrimento, Portugal ignorou o Brasil. Então, dividiu-o em nacos de terra a que chamou capitanias, impôs a hereditariedade de seu comando e distribuiu-os entre a nobreza. Em 1549 chegou Tomé de Sousa, o primeiro governador-geral. Vinha um pouco como embaixador de sua majestade na colônia, um bocado para governar mesmo – já que a maior parte dos capitães nem sequer vivia onde devia capitanear. Mas, à chegada do primeiro governador, não se extinguiram as capitanias. Continuaram lá.

A colônia já era nitidamente dividida em dois pela força da história. Ao sul da Bahia, a bagunça selvagem; ao norte, a crescente indústria açucareira. As três capitanias abaixo do Rio – Santo Amaro, Nossa Senhora da Conceição de Itanhaém e São Vicente – eram os lugares onde o reino tinha menor poder e influência. Das três, apenas São Vicente existia formalmente e todas eram um pouco "lá em São Vicente".[16] Ou, no dizer da época, "as capitanias de baixo". Por conta desta falta de comando central é que os jesuítas tanto tempo dedicaram à região.

A cidade do Rio de Janeiro – e a capitania formada ao seu redor – foi fundada por paulistas, e deles herdaria um espírito de independência anárquica da Coroa que marcaria profundamente seu futuro. Por outro lado, diferentemente de quase todas as vilas já nascidas ao sul, o Rio seria fundado por ordens expressas da Coroa, sob o comando militar do governador-geral e de sua família. Seria uma capitania pertencente ao rei, quase que uma segunda capital em concorrência com Salvador. Aliás, mesmo nos períodos em que não foi formal a separação, o Rio sempre respondeu diretamente a Lisboa.

[16] BOXER, Charles R. *Salvador de Sá and the Struggle for Brazil and Angola — 1602-1686.*

Se dizemos que foram três as forças em disputa por poder no sul brasileiro, além dos paulistas e da realeza, a terceira força seria a Sociedade de Jesus. Agia, a bem da verdade, com a bênção das majestades, mas tinha objetivos próprios que não necessariamente os de Portugal. Os jesuítas queriam a construção do Reino de Deus na terra dos papagaios e concorriam com os brancos na captura dos índios. Uns os queriam como escravos, outros como cordeiros mansos de Jesus. Nenhum governador-geral foi tão aliado dos padres de preto quanto Mem de Sá. Quando chegou a Salvador vindo da Europa, antes mesmo de tomar posse, Mem trancou-se por mais de mês na igreja dos jesuítas para dedicar-se aos exercícios místicos ensinados por Santo Inácio de Loyola. Uma cidade fundada pelos Sá ali na Guanabara, portanto, governaria com os paulistas por natureza antigoverno, em nome do Rei, aconselhada pela Companhia de Jesus.

Tal triunvirato não poderia promover equilíbrio estável – e nunca promoveu. Por isso, o Rio sempre esteve à parte. Como São Paulo, independente. Como capital informal ou não, operou politicamente e correspondeu-se muito além de seu território – ou mesmo de seu continente. Uma cidade colonial que se achava metrópole e que nunca foi controlada de todo.

A esquadra reunida cruzou a boca da Guanabara no 1º de março, em 1565. Caíram de imediato à esquerda para as bordas do Pão de Açúcar e lançaram botes ao mar para o desembarque na praia interna.[17] Em terra, começariam de presto a erguer uma cerca, ali onde os pés dos morros se encontram, um canto onde era possível vigiar o Atlântico e o interior da baía ao mesmo tempo, protegidos pelas muralhas naturais de granito. O Rio nasceu entre o Pão de Açúcar e o morro da Urca, e lá se isolaram os primeiros colonos. "Não há tempo nem oportunidade para recuarmos", gritou Estácio de Sá aos homens em seu discurso de fundação que um notário registrou, "porque de um lado nos cercam estas penhas, e do outro, as águas do oceano; e pela direita e esquerda os inimigos, só podemos romper o cerco debandando-os."[18]

A HISTÓRIA PREGA IRONIAS. CONSTANTES RIVAIS, O RIO NASCERIA PARA QUE SÃO PAULO SOBREVIVESSE. E NASCEU CONQUISTADO E FUNDADO, PRINCIPALMENTE, POR PAULISTAS.

Esta é a história da fundação de uma cidade, portanto uma história de homens das mais distintas camadas sociais. Nobres italianos, como Giuseppe e Paolo Adorno; aristocratas portugueses, como Belchior Azevedo, que Estácio colheu no Espírito Santo; guerreiros tupis como Arariboia

---

[17] Esta é uma discussão entre os historiadores. Teriam saltado à terra pelo lado de fora, do Atlântico, ou por dentro? Frei Vicente Salvador, autor da primeira história do Brasil, dá a entender que foi por dentro da baía. Como é contemporâneo e conversou com pessoas que participaram do desembarque, há de ser confiável.

[18] LISBOA, Balthazar da Silva. *Annaes do Rio de Janeiro.*

e os seus; e também outros. Um dos europeus que vieram de São Paulo chamava-se Pedro Martins Namorado. Tinha sido juiz pedâneo em Santos, um juiz dos mais simples, aquele que julga em pé, no meio da praça central, porque nem prédio tribunal há.

Conforme os homens iam à mata derrubar árvores para a cerca, que antes de erguer casas cumpria fazer a paliçada, Namorado e Giuseppe Adorno pegaram suas pás. O Rio, apesar do nome, era pobre em água potável – e as parcas fontes ficavam todas em território inimigo. O nobre genovês e o juiz pedâneo de Santos cavaram dias até que um lençol pluvial brotasse – aquele aglomerado, uma vilazinha de nada, em seus seis primeiros dias tinha cerca e poço.

Outro dos pioneiros era Francisco Velho. Tinha sido um dos primeiros habitantes de Santo André da Beira do Campo, a cidade de João Ramalho no planalto ao sul que, quando unida ao colégio dos Jesuítas, foi rebatizada São Paulo. Velho, assim, era fundador de São Paulo e do Rio de Janeiro. Foi à mata derrubar árvores também, mas não para a cerca. No meio da paliçada, fez quatro paredes, e o teto cobriu com sapé. Poço, cerca e, agora, igreja, que o padre Gonçalo logo ocupou para dar início aos serviços religiosos. Houve ainda Domingos Fernandes, que ficou marcado, na história, pelo apelido: Cara de Cão. Como, anos depois, ganhou terras naquela área, uma pedra próxima do forte levou seu nome. A Ponta do Cara de Cão, onde o Rio foi fundado.

Rio de Janeiro o lugar já era desde o iniciozinho do século XVI, batizado sabe-se lá por quem.[19] Mas a cidade se chamaria São Sebastião. D. Catarina podia mandar no trono ao lado do irmão de seu marido, o infante d. Henrique, mas o rei era o menino Sebastião. Tinha 11 anos, e sua maioridade era aguardada com a esperança de dias melhores pelo povo português. A cidade que as majestades ordenaram fundar ficou sendo São Sebastião do Rio de Janeiro. E a igrejinha que Francisco Velho ergueu para o padre Gonçalo de Oliveira e o irmão José de Anchieta seria a Igreja de São Sebastião.

A tarefa de erguer uma cidade do nada é caótica. As coisas vão sendo feitas conforme a necessidade. Portanto, no início, foi cerca, poço e igreja, que estas eram as prioridades. Do jeito português, à frente da igreja fez-se uma praça, e no arredor ergueram cabanas de palha que todos dividiam. As poucas telhas que trouxeram de São Vicente serviram para cobrir os prédios de pau a pique que serviriam como paiol de pólvora, depósito de armas e de mantimentos.[20] Era um núcleo modesto, pois que a cidade definitiva ficaria para depois.

---

[19] Os historiadores João Ribeiro e Brasil Gerson destacam que a tradição portuguesa era de batizar lugares com nome de santo. "Rio de Janeiro", portanto, teria cheiro de batismo francês. O gramático Celso Cunha discorda e chama atenção para a pequenina cidade Rio de Maio, em Cabo Verde. Para Cunha, "rio" era o termo para qualquer braço d'água no português do tempo. Fato é que a primeira referência ao "Rio de Janeiro" conhecida é de 1º de janeiro de 1502, na expedição comandada pelo almirante André Gonçalves e que trazia a bordo o cartógrafo italiano e espião eventual Américo Vespúcio. Não é certo que tenham sido eles que escolheram o nome.

[20] ABREU, Mauricio de Almeida. *Geografia histórica do Rio de Janeiro (1502-1700).*

No dia 6 de março, os tamoios esboçaram o primeiro ataque. Quatro canoas ao mar se aproximaram, atraíram um dos índios de Arariboia para fora da cerca e o tomaram prisioneiro. Quando perceberam, os portugueses foram atrás nas suas canoas recuperando seu homem – e ainda arcos e flechas e barcos que os inimigos abandonaram ao debandar mata adentro.[21] Tinha sido uma expedição de reconhecimento, mas a primeira vitória, ainda que tola, foi recebida com festa no arraial.

Os índios já organizavam um novo ataque. A vilazinha portuguesa era um corpo estranho, melhor expurgá-la antes que se afixasse. E os tupis eram bons guerreiros, entendiam estratégia.

No dia 10, apareceu dentro da baía, no fundo, uma nau francesa – e lá ficou, como que encarando o aglomerado de portugueses. Já devia estar lá desde antes de os portugueses chegarem. Estes ficaram no seu lugar: podia ser uma armadilha, atraí-los baía adentro para liquidar com a cerca. No dia seguinte a nau ainda estava lá. Estácio decidiu abordá-la. Içou âncoras de sua capitânia, acompanhou-se doutros três barcos e rumou para o interior da Guanabara.

Quarenta e oito canoas tamoias cercaram São Sebastião.

A meio caminho, Estácio ordenou que os navios que o acompanhavam seguissem em direção à nau, mas tornou à vila para o primeiro combate sangrento, que durou o

[21] FERREIRA, João da Costa. op. cit.

dia inteiro e largou mortos na praia. No dia 12, o capitão do Rio tornaria ao fundo da Guanabara para encontrar-se com os franceses.

Com Estácio seguiu Martim Paris. Era francês de nascença, conhecia bem a região. Chegou ao Rio acompanhando o senhor de Bois-le-Comte, sobrinho de Villegagnon, e bandeou-se para o lado português acompanhando João Cointa. Quando veio a hora da guerra, Martim deixou São Vicente, onde vivia, para tentar a sorte na cidade que seria fundada, de olho numa possível sesmaria que lhe sobrasse. Como era o caso de todos: pensavam, também, nas terras que ganhariam da Coroa em troca dos serviços prestados.

O capitão da nau francesa era católico. Provavelmente usando Martim como intérprete, Estácio fez-lhe uma proposta.[22] Que reunisse os franceses que moravam entre os índios e seguisse viagem – os portugueses não os atacariam ao cruzar para o Atlântico a estreita barra da Guanabara. Apenas lhes confiscariam a pólvora e os canhões, porque deles precisavam. Ao perceber que os franceses os trairiam, os tamoios organizaram novo e violento ataque, desta vez com 27 canoas. Ávidos por demonstrar boa-fé, os mercadores de pau-brasil franceses arremeteram contra os índios, ao lado dos portugueses. E deixaram a Guanabara para trás. Levariam alguns dos franceses que viviam por ali desde que o forte de Coligny fora arrasado. Mas não todos.

---

[22] FERREIRA, João da Costa. op. cit.

Três ataques, vários sustos, nenhuma casa erguida, e São Sebastião não tinha ainda 15 dias de vida. Mais tarde, descreveria Estácio, via os índios "muito ousados e atrevidos, que aqui junto desta cidade me vieram fazer ciladas".[23] No dia 31 de março, o irmão Anchieta deixou os cariocas em direção à Bahia. Tinha por missão informar a quem fosse possível de como seria difícil a vida no Rio. Aproveitaria para ordenar-se padre, que já era tempo.

Nos dois anos seguintes, a história se repetiria num eterno ciclo de batalhas sangrentas e calmarias. Nos períodos calmos, os portugueses cuidavam de erguer suas casas, plantar hortas, encaixar ao longo da cerca primitiva guaritas onde assumiram seus postos as sentinelas. Se logo no início mais pareceu uma aldeia tupi, com casas de madeira e ao teto sapé, aos poucos a vila foi ganhando a estrutura de um castelo medieval.

Os portugueses não ficavam passivos – atacavam também. Saqueavam as aldeias próximas em busca de comida e mudas para plantar. E porque plantação exige espaço, a área de atuação foi-se ampliando na direção daquilo que hoje chamamos enseada de Botafogo e na época conheciam por praia de Francisco Velho.

Mas Botafogo, o original, estava já entre aqueles homens que fundaram o Rio. Tinha vindo de Portugal fugido de

[23] LISBOA, Balthazar da Silva. op. cit.

dívidas, chamava-se João Pereira de Sousa.[24] Estácio o recrutou em Santos, onde mais tarde Pereira de Sousa casaria com uma moça de origem escocesa, Maria da Luz Drummond. Uma das filhas de Botafogo casou, por sua vez, com um alemão, Heliodoro Eobanos, que era feitor de Giuseppe Adorno em seu engenho. Foi na casa deste Eobanos que Nóbrega conheceu, anos antes, João Cointa. São aborrecidos tais detalhes? A colonização portuguesa não foi obra apenas de portugueses. Era gente de todo mundo, com todo tipo de caráter. João Pereira de Sousa era artilheiro, seu posto militar era ao canhão. Portanto, o apelido: Botafogo. Era o Botafogo ali da vilazinha de São Sebastião. Assim o chamavam, ao entardecer, para completar o grupo de carteado.

Porque, quando o tempo era de calmaria, tinha muito trabalho para fazer, mas os dias eram também lentos. Jogavam-se cartas. Não era coisa que as autoridades gostavam, porque distraía da labuta. Estácio havia declarado o carteado como atividade ilegal. Mais adiante, no entanto, teve de oferecer anistia geral, a não ser que quisesse colocar meia população na cadeia, cadeia que nem sequer existia.

Mesmo lento, o tempo passava. E, quando setembro chegou, a cidade pedia para crescer. É verdade que a terra não estava conquistada, só que precisavam distribuí-la. Se não partissem do princípio de que num futuro próximo os arredores da Guanabara seriam todos deles, não teriam motivo para arriscar suas vidas. Como distribuição de terra, das sesmarias, exigia uma estrutura burocrática, os portugueses

[24] BELCHIOR, Elysio de Oliveira. op. cit.

trataram de fazer coisa que sabiam fazer bem: implantar a burocracia. Também era questão prática. Se dois homens brigassem, carecia justiça e penas deveriam ser aplicadas.

Francisco Dias Pinto era fidalgo, homem que, em Lisboa, frequentava a corte. A capitania de Porto Seguro era sua. Quando Estácio veio, ele o acompanhou. Quando o capitão do Rio precisou dividir seu poder, foi a Dias Pinto que coube o cargo de alcaide-mor. O título vinha da tradição árabe em Portugal, um misto de prefeito e chefe militar. É toda muito confusa, cheia de nuances esta hierarquia portuguesa, as atribuições nunca muito claras. Estácio, como capitão, era quem mandava de fato em toda região. Mais a vila de São Sebastião, ao ganhar um alcaide-mor, subia de patamar, tornava-se cidade.

Havia já uma paliçada externa na altura da praia de Botafogo e a cerca principal, a esta altura, era bem mais sofisticada. Entre as vigas de madeira, os espaços foram preenchidos com pedra. Por dentro, era possível subir ao topo dos baluartes de vigília por um sistema de escadas – e lá ficavam canhões. Portinholas espalhavam-se por toda a extensão, sendo que nas mais importantes havia janelinhas por onde se via o exterior. No grande portão principal, a janela para ver quem vinha podia ser fechada e, do lado de fora, duas grandes argolas de ferro serviam para bater.

Naquele início de setembro, Estácio deixou a fortaleza, e Francisco Dias Pinto a fechou com as próprias mãos. O capitão então bateu à porta chocando o ferro contra a madeira, Dias Pinto perguntou quem era. "Sou o capitão da cidade de São Sebastião em nome de El-Rei", respondeu Estácio. E o alcaide-mor abriu-lhe as portas. Era a cerimônia de sua nomeação.[25]

Se toda cidade precisa de um mito fundador, o do Rio chegou na forma de soldado romano alado, vindo dos céus, em julho de 1566. A pequena cidade já sobrevivia à guerra fazia mais de ano. A estratégia portuguesa funcionava: Aimberê e seus tamoios tinham largado a guerra ao sul. Passaram à defensiva. A cada dia, em suas aldeias, aumentava a obsessão com aquela colônia europeia. Era uma guerra de sobrevivência. Precisavam de um grande cerco.

Às escondidas, os tamoios construíram uma frota de igaras para o ataque.[26] Reuniram 180 delas. De Cabo Frio, do interior, de toda a região, centenas, talvez milhares de tamoios se juntaram, escondendo-se numa quina de praia que os aterros posteriores desfizeram ao longo da costa – a ponta do Calabouço, não longe de onde hoje está o aeroporto Santos Dumont. Francisco Velho, aquele que tinha erguido a igreja e vivia próximo à praia de Botafogo, estava na baía, em sua canoa. Talvez pescasse. Um grupo pequeno de índios o cercou.

De uma das guaritas no Rio, a sentinela deu alerta e Estácio seguiu com quatro canoas velozes e cheias de homens

[25] LISBOA, Balthazar da Silva. op. cit.

[26] FERREIRA, João da Costa. op. cit.

para salvar o mordomo da Confraria de São Sebastião. Aí eles começaram a surgir. De vinte em vinte canoas. De trinta em trinta. Era um cerco fatal para as cinco pequenas embarcações. Uma chuva de flechas.

Os portugueses se apavoraram. Um, ao armar um pequeno canhão de lançar pedras, atiçou sem querer fogo em toda a pólvora, e uma explosão catastrófica, de encher o ambiente com fumaça negra, se deu. A mulher do cacique Guaixará, de Cabo Frio, deu então um berro amaldiçoando a luta, e eles saíram em debandada.

OS JESUÍTAS QUERIAM A CONSTRUÇÃO DO REINO DE DEUS NA TERRA DOS PAPAGAIOS E CONCORRIAM COM OS BRANCOS NA CAPTURA DOS ÍNDIOS. UNS OS QUERIAM COMO ESCRAVOS, OUTROS COMO CORDEIROS MANSOS DE JESUS.

Nos séculos seguintes, seria conhecida como a Batalha das Canoas, e uma lenda contornaria a explicação pragmática. A descrição seria de que, cercados o capitão e os seus, os céus se abriram e São Sebastião, vestindo sua armadura e com arco em punho, emanando luz dourada, teria pulado de uma igara para a outra qual flutuando, assassinando os tamoios até que fugissem surpresos pelo apoio sobrenatural que tinham seus inimigos. E por vários séculos, a cada 20 de janeiro, dia do Santo, em sua homenagem canoas iam à Guanabara para representar aquela batalha.

Aí o Rio cresceu e o Brasil cresceu, e vieram jornais, rádios e tevês, e ninguém mais se lembrou de como celebrar o santo padroeiro. Só uma das tradições que se perderam.

Os jesuítas já tinham suas terras, a maioria dos moradores já tinham suas terras, tudo assinalado nos livros de posse. Pedro Martins Namorado, o que ajudara Giuseppe Adorno no poço, tinha sido já nomeado juiz. O Rio tinha alcaide-mor e também, a essa altura, alcaide-pequeno, que fazia as vezes de carcereiro. Ainda em 1565, traçaram o que seria o terreno da cidade. E como, para isso, precisavam escolher um ponto de referência, escolheram a Casa de Pedra.

Esta casa havia servido de olaria aos franceses que erguiam a vila de Henriville e o forte de Coligny. Alguns dos calvinistas, entre eles Jean de Léry, moraram lá quando expulsos por Villegagnon da ilha. É bem possível que houvesse uma torre anexa. Há quem diga que foi construída ainda nos anos 1530, por Martim Afonso de Souza, que parou na Guanabara antes de fundar São Vicente. Não há certezas. Em toda a Guanabara não havia construção mais sólida e mais diferente de qualquer moradia tupi. Segundo a tradição, era coisa tão distinta que os tamoios a chamavam *carioca*. Casa de branco.

(Há outra teoria para a origem do nome. Seria Acarioca, casa dos acaris, peixinhos que eram abundantes naquele rio que nascia no alto do Corcovado, escorria ligeiro por Laranjeiras e dividia-se em dois, um trecho passando por onde hoje está a rua Barão do Flamengo, o outro contornando o morro da Glória para desaguar na Guanabara.[27]

---

[27] QUINTILIANO, Aylton. op. cit.

Assim, formava uma pequena ilha onde ficava a Casa de Pedra. Acarioca, portanto, seria o nome original do rio, não da casa.)

"Para pastos e rocios da cidade", fez escrever nos livros Estácio, "lhe dou légua e meia de terra começando da Casa de Pedra ao longo da baía até onde se acabar e para o sertão o mesmo, que virá saindo à costa do mar brabo e Gávea, como em sua petição dizem."[28] Para o carioca contemporâneo há de ser uma descrição estranha. Na tradução do português seiscentista, a Casa de Pedra estava em algum lugar entre o morro da Viúva e o da Glória. O que Estácio chamava Gávea é a mesma pedra que chamamos Gávea hoje. O mar brabo é o mar aberto, oceano Atlântico. Assim, o terreno que o capitão separou para a cidade era um quadrilátero que tinha um dos vértices na Praia Vermelha, próxima de onde estavam entrincheirados. De lá, um dos lados seguia contornando a praia até São Bento, o outro embicava à frente até a Pedra da Gávea. O terreno fechava-se ali pelo Engenho Novo.

O alcaide-mor já havia sido empossado e o Rio era cidade. Faltava outra cerimônia, aquela na qual o povo tomava posse da terra. Um certo João Prosse foi escolhido procurador da Câmara – ou, traduzindo, procurador do povo. Estácio e todos deixaram as muralhas em direção ao campo em frente e, lá, o meirinho – equivalente a um oficial de justiça – pôs nas mãos de Prosse água, terra, grama e pedra. Ele passeou e assim a cidade assumiu suas terras.

---

[28] FERREIRA, João da Costa. op. cit.

Mas a guerra não cessou e com toda simbologia, das cerimônias ou das lendas, o dia a dia seguia duro. Se era verdade que eles resistiam – e bravamente – aos ataques tamoios, também é verdade que avançavam a passos muito lentos e sempre incertos. Assegurado o cotoco de terra aos pés do Cara de Cão, não tinham condições de expulsar os tamoios. Mais um tempo e perigava justamente o contrário: eles serem expulsos.

As aldeias primitivas à beira da Guanabara foram aos poucos se extinguindo. Também para elas, quando miúdas, era arriscada a presença com os portugueses tão próximos. Foram saqueadas de sua comida. Homens, mulheres e crianças foram mortos ferozmente, e as ocaras incendiadas. Aos olhos de cada um, o outro era bárbaro, e ambos estavam certos em seu julgamento. Um antropófago, o outro escravagista. Estranho o mundo quinhentista.

Os tamoios organizaram-se em três grandes aldeias, a primeira sendo Uruçumirim. Era enorme.[29] Nascia aos pés do morro da Glória, passava pelo Catete (*caa-ete*, mata cerrada) e terminava na altura do largo do Machado. Essencialmente, ocupava a ilhota formada pelos dois braços do rio Carioca. Ao seu redor ficava uma paliçada de estacas pontudas.

A segunda aldeia ficava um pouco à frente, na ilha de Paranapuã – a do Governador. Esta era mais forte, prote-

[29] MELLO, Carl Egbert H. Vieira de. *O Rio de Janeiro no Brasil quinhentista.*

gida por uma parede dupla de paliçadas e fosso, além de espetos à frente para conter o avanço inimigo. Uma terceira aldeia, da qual se sabe pouco, ficava ainda depois, provavelmente na região da Baixada Fluminense. Nestes três quartéis, tamoios e uns parcos franceses se concentravam para a guerra que nunca vinha.

Mas que um dia veio. A esta altura, estavam todos, tanto em Portugal quanto em Salvador, bem-informados das agruras pelas quais passavam Estácio e os seus. Como o próprio (agora) padre Anchieta havia escrito em uma de suas cartas, "o maior inconveniente, além da fome, é que lá estão muitos homens de todas as capitanias", e como já estavam por lá há bem mais que um ano, "desejam voltar para suas casas (com razão)". Se não os deixavam vir, "perdiam suas fazendas; se os deixavam vir, fica a povoação desamparada e com grande perigo de serem comidos os que lá ficarem". Comidos literalmente.

Havia um limite para aquela situação. Conforme se aproximava o aniversário de dois anos da cidade, era hora de por fim ao sofrimento. O Rio já havia provado uma coisa: a estratégia estava correta. Impondo pressão na terra dos tamoios, eles abandonaram os ataques às capitanias de baixo. Cumpria eliminá-los de vez.

Foi em julho de 1566 que chegaram à baía de Todos os Santos os três galeões liderados por Cristóvão de Barros para auxiliar Estácio na conquista definitiva. Barros trazia ordens de Lisboa para o governador-geral: ele devia largar tudo e liderar pessoalmente a conquista da Guanabara.

Quando deixou a Bahia, em novembro, a expedição levava quase que todo o poder do Brasil colonial. O governador Mem de Sá, o bispo dom Pedro Leitão, os quatro jesuítas mais graduados do país – os padres Manuel da Nóbrega e José de Anchieta, o chefe da Companhia de Jesus Luís de Grã, além do visitador, espécie de fiscal recém-chegado da Europa, Inácio de Azevedo. Fora uma doença que acometeu o governador durante a viagem, ela seguiu tranquila, sem os ventos e tempestades que atordoaram Estácio dois anos antes.

Aos três galeões que vieram de Portugal haviam se juntado dois navios e seis caravelões que romperam a barra da Guanabara no dia 18 de janeiro, em 1567. Desde a fundação de São Sebastião, não deve ter havido dia mais feliz para os pioneiros, uma sensação de alívio, de que tudo aquilo agora, finalmente, fazia algum sentido e que poriam para funcionar a máquina urbana, ocupando suas terras, traçando as plantações, dando por iniciado o comércio para quem sabe um dia fazer fortuna no Novo Mundo.

Como seu tio ainda estava mal e não podia descer, Estácio subiu a bordo para a reunião de cúpula. Descansaram um dia. Na madrugada do dia 20, o bispo d. Pedro Leitão rezou uma missa em homenagem a São Sebastião, que era dia do padroeiro, e os batalhões se organizaram. Dois: um sob o comando de Estácio, outro do almirante Cristóvão de Barros. Jogaram-se contra Uruçumirim. Havia canhões tanto de um lado, quanto do outro. Havia flechas disparadas por arcos certeiros. E mosquetes. Foi uma batalha feroz que durou dois dias. Nela caiu morto Aimberê. Os índios todos foram dizimados. Suas cabeças, cortadas, fincadas em estacas, tamanho o ódio que por eles nutriam os europeus. Uruçumirim foi posta em chamas.

E caiu Estácio.

Uma flechada varou-lhe o rosto, ferindo-o de morte. Tinha 22 anos e foi o primeiro capitão, o primeiro governador do Rio de Janeiro. Era muito jovem, esteve inseguro quanto à capacidade de realizar a missão, foi muitas vezes feroz. De certa feita, comandou pessoalmente a invasão de uma aldeia e o assassinato de centenas de índios tamoios. Seus inimigos, se pudessem, não fariam diferente. Talvez tivessem até a razão ao seu lado – eram tamoios, afinal: avôs naquela terra. Era deles. Ou talvez não. Entre si, disputavam. Havia muitos índios ao lado de Estácio, muitos. Temiminós cristianizados liderados por Arariboia. Como havia também europeus do lado de lá.

Estácio de Sá morreria um mês depois, a 20 de fevereiro. Não ficou registro de se morreu por veneno ou pela ferida infeccionada num tempo sem higiene ou penicilina.

Nos dias seguintes, sob o comando de Cristóvão de Barros, arremeteram contra Paranapuã, onde mais de mil índios ainda resistiam. Combateram três dias até arrasar também o segundo reduto tamoio. Restava o terceiro, mas não houve batalha. Eles se renderam.

Da carnificina, o Rio fez-se português.

Substituiu Estácio no governo da capitania Salvador Corrêa de Sá. Era seu primo, outro dos sobrinhos de Mem. Ainda mais jovem que Estácio. Até meados de 1568, não teve trabalho, ficou aprendendo. O próprio governador-geral morou em São Sebastião neste período. Uma de suas primeiras providências foi transferir a cidade, que deixou o pé dos morros na entrada da Guanabara para assumir um posto mais nobre, no alto do morro do Descanso, que em pouco tempo assumiria outro nome: Castelo. Ali onde a cidade foi fundada, restou-lhe o apelido Vila Velha. Alguns dos pioneiros continuaram por lá, mas não muitos. A maioria foi tomar posse das terras que já tinham no papel.

"Fiz o melhor que pude", escreveria choroso mais tarde o governador Mem de Sá. "Com muito gasto de meu dinheiro, dando comida a todos os que levava e mesmo doente fui ao Rio, estive à morte, mas ainda assim dei ordem com que logo se combateu a fortaleza de Biraoçu Mirim." Tinha perdido um filho, agora um sobrinho. Veio para o Brasil ficar três anos. Já estava há dez. Reclamou muito o tempo todo de sua vida – em geral, com razão. Teve a alegria de saber que seu substituto finalmente viria em finais de 1571. Mem de Sá era um homem refinado que, no Brasil, fez-se muito rico. Morreria em Salvador, na Bahia, no ano seguinte, antes da chegada do novo governador.

Não viu mais Lisboa ou teve onde gastar sua fortuna.

Foi o grande governador colonial do primeiro século de história do Brasil. Domou os índios, inverteu o jogo. Pegou uma terra que os portugueses tentavam conquistar e deixou-

-a dominada, o espaço aberto para a extinção de uma raça. Mas dizendo assim faz parecer que havia racismo, quando não é verdade. O Rio de Janeiro seria terra dos Sá por muitas décadas à frente, e todos os Sá, sem exceção, andaram sempre com índios ao seu lado. Os Sá futuros falariam tupi. Confiariam mais nos índios como soldados de valor do que em brancos. Mas também tratariam outros tantos índios como escravos. Ainda assim, havia respeito – como é difícil não julgar os do passado pelos valores correntes.

Salvador Corrêa de Sá, segundo governador do Rio, sucessor de seu primo Estácio, falaria nhengatu fluentemente. A língua da terra. Que seria a língua de seus filhos e de seus netos. Era este o tamanho do respeito.

Estácio foi enterrado no chão da igreja de São Sebastião que Francisco Velho ergueu na Vila Velha, aos pés do Cara de Cão. Em 1583, quando a nova Igreja de São Sebastião estava pronta no morro do Castelo, seus ossos foram transladados para lá. "Saía deles", disse Anchieta, "um cheiro suave, como sinal de que sua alma goza da felicidade da glória." Há de ter sido liberdade poética do bom padre. Seu primo mandou fazer uma tampa para o túmulo onde fez inscrever: "Aqui jaz Estácio de Sá, primeiro capitão e conquistador desta terra e cidade; e a campa mandou fazer Salvador Corrêa de Sá, seu primo, segundo capitão e governador, com as suas armas; e essa capela acabou no ano de 1583."

Foi a última vez que seus restos foram vistos durante o período colonial. Em 16 de novembro de 1862, quando reinava o segundo imperador, Estácio foi exumado para ser novamente enterrado – e no mesmo lugar – em dia 20 de janeiro seguinte.[30] Aí veio 1922, e o morro do Castelo foi arrasado. O Rio é uma cidade que se destrói, que se esquece, se apaga. Estácio foi transladado pela última vez para a nova igreja de São Sebastião, sob o encargo dos monges capuchinhos, na rua Haddock Lobo, Tijuca.

A confusa distribuição da cidade tomando-se por ponto de partida a Casa de Pedra seria motivo de contestações por vários séculos. A Casa, após a vitória portuguesa, foi servir de residência ao juiz Pedro Martins Namorado. Então a recebeu doada um sapateiro. E o mar em ressaca tratou de pô-la abaixo. Em finais do século XVII, uma comissão redescobriu suas fundações e lá naquele lugar fincou um marco, para poder medir de novo que terra era de quem. O marco se perdeu. Em meados do século XVIII, nova comissão esburacou aquelas redondezas para novamente encontrar as fundações da Casa de Pedra – da Carioca. Para nunca mais.

Não há um único motivo para acreditar que as fundações obviamente profundas de uma casa pesada que ficava em terreno arenoso não estejam ainda lá onde a fez erguer

[30] QUINTILIANO, Aylton. op. cit.

Martim Afonso de Souza ou Nicolas Durand de Villegagnon. Pelos cálculos de João da Costa Ferreira, em seu estudo do início do século XX sobre essa primeira distribuição de terras do Rio de Janeiro, a Casa de Pedra tem endereço. É no Flamengo, esquina das ruas Princesa Januária e Senador Eusébio.

Que caia na lista das informações que não deviam ser perdidas até que um aventureiro decida por bem cavar três ou quatro metros para ver o que encontra embaixo das garagens dos prédios por lá.

Ainda chove em fevereiro e março. Todos os anos.

COM AÇÚCAR, COM AFETO

Um dia, ele chegou. Decerto não foi sua primeira visita a São Sebastião, devia ser bem conhecido ali pelas ruas. Era um homem rico – todos que vinham lá do rio da Prata eram ricos. De lá, traziam bem prata e algum ouro. Prata valia muito mais. No Rio, recarregavam, tornando a voltar para aquele fim de mundo nas alturas da América espanhola, tão longe da Europa, com seu contrabando. Tecidos finos, condimentos, vinhos. E escravos. Principalmente escravos.

Este comerciante – eram chamados de peruleiros – chegou num dia que devia ser fins dos anos 1580, talvez início da década seguinte. Muito provavelmente era português – eles quase sempre eram, embora uns fossem espanhóis. É bem possível que no Rio, como no Peru, o vissem passar com certa desconfiança. Não seria, como diziam, *judaizante*? De família judia? Cristão novo, convertido, se não ele, seus pais ou avós, apenas uns tempos antes? Muitos dos peruleiros eram. Ricos e párias. Traziam prata, levavam escravos.

Quando chegou, ele trazia outra coisa além da prata: uma imagem da Virgem. Nossa Senhora veste-se de ouros, o menino Jesus ao colo. Suas roupas são as de uma princesa inca. Esta é uma réplica da original, que fica na pequena igreja à beira do lago Titicaca, onde, não muito antes, se adorava o Sol. A original foi esculpida por Francisco Tito Yupanqui, descendente da família real do império que seu homônimo, Francisco Pizarro, botou ao chão. A réplica é perfeita – deve ter custado um bom dinheiro ao peruleiro que a mandou fazer. Eles tinham dinheiro.

No Rio, ele seguiu pela rua Direita até o pé do morro do Castelo, onde fica a Santa Casa. Procurou o responsável – talvez, quem sabe, tenha sido o veterano jesuíta José de Anchieta. Mostrou-lhe a Santa, pediu-lhe morada. Ainda havia um altar lateral vago para a protetora dos comerciantes que faziam o roteiro Peru-Rio de Janeiro.

Pouco mais de um século depois, a imagem de Nossa Senhora de Copa-caquana – quer dizer "Lugar luminoso" – foi transferida para uma igrejinha à beira-mar.[1] O nome original foi um pouco truncado. Da Colômbia à Argentina, no território ocupado pelo antigo Império Inca, há cinco ou seis lugares com o nome Copacabana. E foi assim que o deus Sol inca, travestido de santa Maria, junto com os peruleiros, entraram na história da cidade, provavelmente ainda no finalzinho do século XVI.[2]

A história não registrou o nome de quem a trouxe.

---

[1] COARACY, Vivaldo. *Memórias da cidade do Rio de Janeiro.*

[2] FAZENDA, José Vieira. *Antiqualhas e memórias do Rio de Janeiro.*

Vista de longe, a lavoura de cana dá uma sensação de paz. Um verde muito claro contrastante com os tons intensos da mata nativa; as folhas compridas, finas e leves, presas ao caule da espessura dum punho ou menos, flutuam ao vento. No conjunto parecem um mar em calmaria, suas lentas ondas. Mas nem a paz que lembram nem a calmaria do mar são boas metáforas para a plantação de cana. Os colonos tinham a obrigação de fazer a terra de suas sesmarias render em no máximo dois anos. Se não conseguissem, perdiam o que fora doado. Assim, passaram o machado na floresta tropical. E, para consolidar a clareira, fizeram à moda dos índios: queimaram o que restou e das cinzas fez-se o adubo.

Quando vinha a primeira safra, ainda assim o trabalho estava muito longe de apaziguar. Um homem sozinho, trabalhando o dia inteiro, tinha de cortar 4.200 canas, que, no fim do processo, tudo dando muito certo, terminavam em 30 quilos de açúcar branco mais os calos na mão, o suor gasto ao sol a pino – era no verão que se colhia – e o risco de no cansaço a foice levar um dedo embora.[3] Sem contar todo o resto das gentes, pois não bastava apenas colher: o sujeito que levava o carro ou barco até a fábrica de açúcar; quem ficava na moenda para extrair o suco; os outros tantos que alimentavam o fogo, que não podia ser nem muito, nem pouco, porém sempre estável, e os que ficavam me-

[3] ANTONIL, André João. *Cultura e opulência do Brasil.*

xendo sem parar o caldo que virava melado, então rapadura até o ponto de no mascavo se esfarelar. Tudo milimetricamente calculado. Um segundo de distração e perdia-se o trabalho – ficava um açúcar pior que seria vendido mais barato. Às vezes, nem isso. Com tudo certo: 30 quilos de açúcar branco.

Só que o sesmeeiro, com seu troço de terra, a plantação e uns escravos índios não era senhor de engenho quase nunca. Tinha de pagar a um terceiro para transformar em produto vendável o que plantava. O engenho, a fábrica de açúcar, custava uma fortuna – até 3.000 cruzados, equivalente ao preço de 24 escravos africanos jovens e fortes quando eles passaram a ser vendidos, lá pelos idos de 1580 e tanto.[4] Basta levar em conta que até finais do século XVI não havia 100 escravos negros no Rio para imaginar quanta gente tinha condição de levantar seu trapiche (moenda levada por tração animal) ou engenho com pás, movido à força da correnteza. Dinheiro assim, só muito poucos tinham no Rio, em São Vicente ou no resto da colônia portuguesa. Era gente pobre. E, neste vácuo, o governador Antônio Salema viu a oportunidade de atrair mais gente para São Sebastião.

Salema não era para ter sido governador. Quando deixou Lisboa rumo ao Brasil, em 1570, vinha como juiz.

[4] MELLO, Carl Egbert H. Vieira de. *O Rio de Janeiro no Brasil quinhentista.*

Era um homem sofisticado para o tempo – foi não apenas aluno como também professor em Coimbra. Um assalto francês ao navio, no entanto, levou à morte aquele que vinha para o governo e, ao desembarcar em Pernambuco, o professor teve de esperar as novas ordens d'El-Rei. Quando vieram, surpresa: era vontade do jovem d. Sebastião separar a colônia em duas. Salema devia seguir para o Rio e assumir o governo do Brasil Sul.

Foi um homem duro, Antônio Salema, mas seu trabalho no governo também não era fácil. Quando chegou ao Rio, em 1574, a cidade não tinha dez anos de vida, mas sua estrutura de poder já era consolidada. Dois homens, ambos bem mais jovens, tinham sido já governadores. Salvador Correia de Sá, deixado em confiança pelo tio Mem, e, na sequência, Cristóvão de Barros, que liderou ao lado de Estácio os ataques na conquista da Guanabara. Os jesuítas, que dominavam o púlpito e portanto a principal comunicação com o povo, eram fidelíssimos aos veteranos.

Havia outra diferença, também. Cristóvão, que continuava como capitão do Rio mas agora subordinado a Salema, era filho de senhor de engenho do Nordeste. Estácio morreu no Rio, Fernão de Sá no Espírito Santo, Mem na Bahia – o sangue Sá de Salvador tinha sido espalhado pela terra brasileira e entranhado. Estes dois primeiros governadores da cidade eram homens da terra. Salema vinha com o desprendimento que motivara o primeiro dos Sá; como Mem, Antônio Salema vinha cuidar de uma tarefa burocrática, fazer bem o trabalho, juntar um dinheiro – voltar para o reino. Uns tinham por interesse seu poder local; o outro tinha o olho em Lisboa.

Mas não discordavam em tudo. Foi Antônio Salema quem sepultou a questão tamoia. Assumiu o governo em março de 1575 e, em agosto, já rumava para Cabo Frio acompanhado de 400 europeus e 700 tupiniquins. Não foi como a conquista do Rio, uma guerra entre iguais de bravura em ambos os lados. Desta vez, os índios, com experiência prévia, se renderam apavorados, e entregaram os franceses que estavam ali. Não adiantou. Salema entrou numa das aldeias rendidas acompanhado dum estandarte da cruz e dando ordens de execução sumária. No fim, morreram mais de mil tupinambás. E 4.000 foram feitos escravos. Da crueldade de Salema veio paz para São Sebastião.

Não foi um homem que tinha qualquer simpatia ou paciência com os costumes nativos. Certa vez, durante uma reunião, Martim Afonso Arariboia cruzou suas pernas – gesto descortês para os padrões europeus. Salema reclamou. "Se tu souberas quão cansadas eu tenho as pernas das guerras em que servi a El-Rei", disse o principal temiminó, "não estranharias dar-lhes agora este pequeno descanso; mas, já que achas pouco cortesão, eu me vou para minha aldeia, onde nós não curamos desses pontos e não tornarei mais à tua corte."[5]

É provavelmente a maneira como lidou com os índios que viviam à beira da atual lagoa Rodrigo de Freitas, no entanto, que melhor resume o espírito de Salema. Eles não

[5] BELCHIOR, Elysio de Oliveira. *Conquistadores e povoadores do Rio de Janeiro.*

eram particularmente belicosos, mas também não estavam muito dispostos a deixar a região que o governador requisitava. Salema então ordenou que roupas de gente com varíola fossem espalhadas pelas redondezas; os índios as recolheram – a doença os devastou a todos.

Foi um grande governador – ao menos do ponto de vista do homem livre comum, aquele que não tinha sobrenome ilustre ou dinheiro, mas que vinha para colonizar a fúria tropical. Aquele que perseguia no Novo Mundo um futuro melhor e que, chegando aqui, terminava cidadão de segunda, à mercê duma elite da terra como Barros ou Correia de Sá. As primeiras obras de peso fora do morro do Castelo, dedicadas ao bem-estar da população, foram obras de Salema. Para cruzar o rio Carioca, unindo o Centro à Zona Sul, ergueu uma ponte. A ponte do Salema, várias obras depois mas com o mesmo nome, chegou até finais do século XIX.[6]

E o engenho d'El-Rei. O mais ambicioso projeto de seu governo. Por isso matou de varíola os índios: para poder erguê-lo às margens da lagoa, movido à força d'água, capaz de produzir o dobro de açúcar do que os parcos trapiches que já existiam na cidade. Um engenho estatal para o qual os plantadores de cana poderiam levar sua safra e pagar um preço mais honesto. O chamariz ideal que traria colonos e mais colonos para São Sebastião do Rio de Janeiro. Uma cidade agora livre da ameaça indígena e com o caminho facilitado, dada a ponte, entre Centro e fábrica de açúcar.

[6] No local, hoje, está a praça José de Alencar.

Antônio Salema deixou tudo pronto quando terminou seu mandato, em 1578. Escreveu um livro de memórias sobre o Rio – perdeu-se o texto. Morreu na capital portuguesa em 1586.

Nos primeiros anos após a mudança do núcleo da cidade, muitos ficaram para trás, em Vila Velha – ali entre o Cara de Cão e o Pão de Açúcar. As feiras onde se vendia e se comprava tudo para o dia a dia ficavam todas ao pé do morro do Castelo, o que obrigava os colonos, não importa onde vivessem, a tomarem o rumo do Centro vez por outra.

Deixavam a Urca de manhã bem cedo, seus pés afundados na areia, pois que a outra opção era pelo meio do mato. A pé e pela praia seguiam até mais ou menos o morro da Viúva, que separa os atuais Botafogo e Flamengo, onde o caminho era interrompido pelo rio Carioca. Fosse cedo, não raro belas índias estariam refrescando-se nuas em pelo, lançando olhares sedutores para o português incauto que jamais vira coisa do tipo na Europa natal.[7] O Carioca formava uma piscina natural na altura do largo do Machado, bifurcando-se.[8] O braço maior encontrava a Guanabara ali próximo ao morro da Viúva, não longe da Casa de Pedra. O outro braço desaguava

[7] LATIF, Miran de Barros. *Uma cidade no trópico.*

[8] CRULS, Gastão. *Aparência do Rio de Janeiro.*

um pouco depois do morro da Glória, formando uma pequena ilha onde, anos antes, se protegeu a aldeia tamoia de Uruçumirim.

Tinham de subir então um pouco o rio para cruzá-lo antes da bifurcação, pela ponte do Salema. Entre os anos 1570 e 80, moravam nessa região Arariboia e os seus. Passada a aldeia, a fedentina e os mosquitos faziam o caminhante perceber que chegava à lagoa do Boqueirão, que de lagoa tinha pouco: era mais um pântano, uma terra alagada. É onde está hoje o Passeio Público. Bastava uma ressaca um pouco mais forte, a maré alta, para unir aquele naco de terra à Guanabara. O resultado era que a volta precisava ser um pouco maior, seguindo pela atual rua do Catete – que tinha este nome mesmo, caminho do Catete, mato denso – contornando o Boqueirão, para descer ali na altura da Cinelândia atual. Era também caminho estreito, pois, logo do lado, estava outra lagoa, um pouco ao futuro batizada lagoa de Santo Antônio – igualmente infecta e, no entanto, ainda maior e navegável. Aquele centro inicial da cidade era circundado por mangues.

Quem fizesse esse caminho difícil para sair de Vila Velha e ir ao Centro novo precisaria agora apenas cruzar os rebanhos de gado que viviam ali, bebendo da água parada e comendo o mato circundante, para chegar ao morro do Castelo. Eram os bois e as vacas leiteiras de Antônio de Mariz – o personagem de José de Alencar, em *O Guarani*. Bastante enfeitado no livro. Tinha umas terras em São Vicente, onde vivia, como todos, acuado pelos índios. Foi um dos soldados que vieram ao Rio com o governador-geral, em 1567, para a expulsão dos tamoios. Aí se assentou nas terras que ganhou.

Era de família nobre em Portugal, tinha sido juiz em São Paulo de Piratininga e foi dos homens bons da cidade – ocupou vários cargos públicos. Na tomada da Guanabara, sua importância foi menor. Mas caiu nas graças de Antônio Salema e lutou feroz em Cabo Frio, coisa que lhe valeu muito mais terras. Um bom pedaço, doou-o mais tarde para Arariboia, seu vizinho – e assim os temiminós foram transferidos definitivamente para a aldeia de São Lourenço, em Niterói. Dali, os índios aliados poderiam rapidamente dar o alerta se nau ou frota inimiga ameaçasse romper baía adentro. Não é à toa que a estátua de Arariboia, em Niterói, está de costas para suas terras, de olho na cidade pela qual lutou e durante toda a vida, apesar da descompostura de Salema, protegeu.

UM HOMEM SOZINHO, TRABALHANDO O DIA INTEIRO, TINHA DE CORTAR 4.200 CANAS, QUE TERMINAVAM EM 30 QUILOS DE AÇÚCAR BRANCO.

Cruzado o curral de Mariz, o bom colono alcançava uma ladeira nas costas do morro. Ali ao pé era casa do mestre Vasco, o homem que tinha as chaves da Câmara. Ele furou um poço que quem quisesse usava – embora não fosse bom de água, não. Apesar do Carioca, a falta d'água infernizou os cariocas durante muitos séculos. Era, esta ladeira, a ladeira do Poço do Porteiro. É claro que poucos faziam este caminho a pé ou com carro de boi.

E é claro que quem vinha de Vila Velha preferia pular na canoa e remar: em menos de uma hora estava no porto dos Padres da Companhia, na praia, de frente para o Castelo.

Quem pega o aterro do Flamengo hoje e desemboca na avenida Presidente Antônio Carlos muitas vezes não percebe, distraído, que está perante uma paisagem diferente. O centro do Rio é em geral tão apertado, carregado de vielas estreitas e prédios discretos, quando não sombrios, mas ali é um descampado, pistas largas de automóvel, prédios portentosos que fazem sumir a discreta igrejinha de Santa Luzia. Não é preciso continuar muito tempo a viagem até um pouco antes do prédio da Assembleia Legislativa, naquele momento em que, à esquerda, está o edifício-garagem Menezes Cortes. Há um desnível na pista que desce uns palmos numa ladeira ligeira para chegar ao Paço Imperial – onde a Presidente Antônio Carlos muda o nome para Primeiro de Março. Ali, no desnível, o motorista acaba de atravessar o membro desaparecido da cidade.

O morro do Castelo ocupou uma área de 184.000 metros quadrados, o equivalente a 18 quarteirões do Rio atual, delimitado em suas partes mais extremas pelas ruas São José, Santa Luzia, México e pelo largo da Misericórdia.[9] Tinha 64 metros o ponto mais alto, como um prédio de 22 andares, e visto de cima lembraria um losango com uma de suas metades, a que apontava para o Pão de Açúcar, carcomida.

[9] NONATO, José Antônio; SANTOS, Núbia Melhem. *Era uma vez o morro do Castelo.*

Uma das faces compridas debruçava-se nas águas da Guanabara, esticando-se numa península que chamaram certo tempo de ponta do Calabouço. A face do outro lado mirava onde estão hoje a Cinelândia, Passeio Público e largo da Carioca, e no século XVI estiveram as lagoas do Boqueirão e de Santo Antônio. Viveu 357 anos entre a fundação e sua demolição. Foi chamado morro do Descanso, de São Januário, do Conselho, do Colégio, da Sé e da Sé Velha, além de baluarte da Sé e alto de São Sebastião.

Deu trabalho a instalação da cidade ali. O morro era, como descreveu Mem de Sá em carta, "de um grande mato espesso, cheio de muitas árvores e grossas". Mem deu o projeto de implantação a Nuno Garcia, um português que viera degredado para a Bahia muitos anos antes e que, mesmo após sua pena expirar, decidira permanecer no país como mestre de obras. Limpo o topo do morro, tiveram cuidado com o sopé. Também a base do Castelo foi desmatada numa altura de 4,5 metros para formar o que chamaram de *trasto*.[10] Se tamoios, franceses ou quaisquer outros atacassem a cidadela, não teriam proteção de árvores para se esconder. Feito isso, ruas foram traçadas e lotes, distribuídos.

No primeiro momento, moraram ali 600 pessoas, entre colonos portugueses, jesuítas, índios catequizados, mamelucos, uns poucos franceses e poucas mulheres. A área plana no topo fazia o desenho de um trevo, duas folhas apoiadas sobre a baía, a terceira apontando para o interior. Visto da baía, o forte de São Sebastião ficava na ban-

[10] ABREU, Mauricio de Almeida. *Geografia histórica do Rio de Janeiro (1502-1700).*

da direita – o norte –, com formato triangular. Foi usado pela primeira vez em 1581, quando três navios franceses romperam a boca da Guanabara e a maioria dos homens, incluindo o governador Salvador Corrêa de Sá, estava fora da cidade, caçando índios. Lideradas pela primeira mulher de Salvador, Inês de Sousa, as outras mulheres e os padres vestiram os elmos militares e dispuseram-se nas amuradas do forte, passando a impressão no longe de a cidadela estar bem-defendida. Os franceses deram meia-volta. Por conta desse castelo é que veio o nome mais popular do morro.

Havia um muro, por certo, e nele havia pelo menos uma porta, na face do Castelo que olhava para a atual Cinelândia. Como nem todas as descrições indicam a presença de muro na costa mais íngreme, mirando a baía, é possível que este muro não circundasse todo o topo. Como o morro se foi, nem sequer sobra a arqueologia para averiguar.

O colégio dos Jesuítas ficava à esquerda, na mesma encosta do forte, debruçado sobre a baía. Sua construção teve início em 1567, e em pouco tempo já dispunha de 10 a 12 quartos com chão e teto de cedro, um luxo para o tempo. Para levar as pedras grandes e bem-cortadas para cima do morro, os padres construíram um plano inclinado na sua base. Como todas as pedras vieram de Portugal por navio e o plano ligava morro ao porto é que este foi batizado de porto dos Padres da Companhia. Ainda no primeiro quarto do século XX existiu no Centro um local chamado beco do Guindaste, que veio abaixo com o morro. No total, o colégio levou quarenta anos para ser construído e, no fim, tinha 200 metros de comprimento, quatro andares, torre e relógio. Do lado de fora, plantaram um pomar que dava frutas o ano inteiro: uva, laranja, lima, limão, banana, melão, além de uma horta com alface e couve. Comiam peixe toda sexta-feira e carne de vez em quando. O único poço no alto do morro pertencia ao colégio, poço de água salgada misturada com doce que servia para lavar roupa e cozinhar. O prédio tinha espaço para 50, mas até 1590 não viveram simultaneamente mais que 28 padres e irmãos, incluindo Nóbrega, Anchieta e Fernão Cardim, um dos primeiros historiadores brasileiros, hoje nome de favela. Além dos quartos, o espaço era dividido em oficinas, salas de aula, refeitório e biblioteca. Para seu financiamento, desde a década de 1580 passou a receber da Coroa uma verba de 2.000 cruzados por ano. Em dinheiro da época, seria suficiente para construir um pequeno engenho de açúcar, comprar 16 escravos negros ou 500 peixes sem escama.

A Igreja de Santo Inácio, anexa ao colégio, era uma das duas igrejas no cume. Foi inaugurada no Natal de 1588, mas trouxe no frontão, até a demolição do morro em 1922, a data de 1567, quando o Centro foi transferido e sua pedra fundamental sepultada. Não tinha ornamentos demais, uma fachada seca, clássica, projetada pelo padre Francisco Dias, que em Portugal tinha sido assistente do arquiteto renascentista italiano Filipe Terzi. A igreja tinha 11 metros de frente, 9 de altura e 25 de fundo. Na pesada porta de madeira estava a insígnia IHS, a cruz elevada do H e, abaixo, três pregos encontrando-se, a logomarca dos jesuítas. Originalmente, é o monograma medieval do nome de Cristo – IHESUS –, mas em latim também serve de sigla para *Iesus Hominum Salvator*, Jesus salvador dos homens. No interior, a igreja era um grande salão com altar-mor e dois laterais, o púlpito ligeiramente elevado. Os altares foram erguidos com madeira de lei brasileira, entalhados pelo mestre carpinteiro e padre jesuíta Afonso Brás, que, residente no Nordeste, passou a vir com frequência ao Rio a partir de 1572.

A outra igreja foi a primeira construção do Centro novo, ao fundo do morro, costas apontadas para o sul e frente para a praça principal, em formato quadrangular. Não tinha a pose da igreja dos jesuítas, mas já era Igreja Matriz da freguesia de São Sebastião em 1569, 14 anos antes de ficar pronta. Tinha duas pequenas torres, uma de cada lado, marcando a divisão interna de três naves, a principal e maior no meio.[11] A madeira usada era de tão boa qualidade que, mais de dois séculos depois, quando tiraram o batente da porta principal para substituí-lo por pedra, ainda estava nova, apesar da exposição aos torós tropicais e à maresia.[12] Seu principal atrativo era uma relíquia de São Sebastião, presente da família real. Diziam ser uma farpa dos ossos do santo. Para recebê-la, organizou-se uma grande festa na cidade, o auge tendo sido uma dança de meninos índios – "o mais velho seria de oito anos, todos nuzinhos, pintados de certas cores aprazíveis com seus cascavéis nos pés, e braços, pernas, cinta e cabeças com várias invenções de diademas de penas, colares e braceletes", segundo a descrição de Car-

[11] AZEVEDO, Manuel Duarte Moreira de. *O Rio de Janeiro.*

[12] LISBOA, Balthazar da Silva. *Annaes do Rio de Janeiro.*

dim. Do lado de fora, numa das quinas do prédio, ficava um marco de pedra calcária branca, lioz, menos de um metro de altura, numa das faces as armas portuguesas, na outra uma cruz, provavelmente o marco de fundação da cidade. Hoje, está na Igreja de São Sebastião, na Tijuca.

Não longe da Sé de São Sebastião, também voltado para a praça, ficava um prédio de dois andares construído em pau a pique – um entrelaçado de madeira fina preenchido com barro e cal – que servia de Câmara e cadeia, embora fosse mais chamado de cadeia do que de Câmara. Para revesti-lo, usaram sapé à moda tupi, não tinha teto ou assoalho, como quase todas as casas naquele primeiro momento. Ao lado, o armazém seguindo a mesma estrutura de dois andares e a casa da fazenda Real, esta com varandas no segundo andar. Há uma diferença jurídica entre vila e cidade no mundo português dos quinhentos. Vila nasce porque alguém a implantou. Cidade nasce por ordem real. O Rio nasceu cidade real e suas primeiras construções definitivas – igrejas, câmara, armazém e fazenda real – indicavam a intenção de ficar. O primeiro que se construiu, afinal, foi o espaço do Estado e o da Igreja.

Nos primeiros tempos, o governador-geral Mem de Sá morou de frente para esta praça. Assim como nela moraram Manoel de Brito, um fidalgo, Francisco de Barbuda, senhor de engenho que largara tudo na Bahia para a conquista do Rio, e Francisco Velho, aquele dentre os fundadores que ergueu com madeira e sapê a primeira versão da Igreja de São Sebastião, ainda na Vila Velha.

Até finais do século XVI, o morro ligou-se à terra baixa por quatro ladeiras.[13] A primeira foi também a mais íngreme, chamada ladeira da Sé, e nela os jesuítas apoiaram seu guindaste. Então veio a ladeira da Misericórdia. Um pouco mais longa e no entanto mais leve, subia o morro de forma enviesada, começando nas costas da Santa Casa de Misericórdia e terminando de frente para o colégio – o arranque, parte inicial dela, ainda existe. Ambas estavam voltadas para o mar. Nas costas erguia-se a mais longa das ladeiras – a do Poço do Porteiro – e, na direção do morro de São Bento, pela lateral, seguia a ladeira do Castelo, que, após passar pelo forte de São Sebastião, terminava exatamente no ponto da que vinha da Misericórdia, uma se emendando na outra.

Em 1587, a cidade tinha 3.850 habitantes: 750 europeus, 3.000 índios e 100 negros.[14]

Durante a noite, o carioca tinha seu sono embalado pelo cri-cri dos grilos e coaxar dos sapos nos pântanos, às vezes uma coruja ou o mexer-se no mato de bicho maior. Na aurora, tocavam os sinos da Sé acordando a todos e,

---

[13] CRULS, Gastão. op. cit.

[14] PARANHOS FILHO, José Maria da Silva (o barão do Rio Branco). *Efemérides brasileiras*. A conta do Barão tem por base os testemunhos de Anchieta e Cardim. É incerta, mas considerada uma boa aproximação.

ainda de casa, ouviam os gritos na rua de "Yi, yi!" – os índios, com vasos enormes apoiados na cabeça, anunciando em sua língua a água que traziam. Quem podia pagava para encher um panelão, que serviria para lavar mãos, rosto, beber e cozinhar almoço e jantar do dia. Quem não podia precisava descer o morro pessoalmente até o poço do porteiro ou seguir até o rio.

A cidade seria inviável economicamente sem os índios.[15] No início, quando era questão de subsistir, foram eles que ensinaram o que e como plantar, em que época colher, o modo certo de armazenar. Em sua rede, o europeu dormiu seco muitos anos, mesmo quando a chuva transformava em lama o chão de terra batida da casa. As índias serviram de mães para boa parte dos primeiros cariocas, quase todos mamelucos. A importância dos nativos aumentou quando, crescida, São Sebastião precisou produzir coisas para vender: açúcar. Mesmo que quisessem, não havia português suficiente para plantar, colher, transportar, produzir e distribuir cana e açúcar. É lavoura de trabalho intenso e não havia dinheiro para negros. Mesmo quando havia, simplesmente não valia a pena do ponto de vista econômico: um escravo negro se pagava em um ou dois anos e, na quantidade necessária, eram caros demais. Não fazia sentido empacar tanto dinheiro. Os índios eram praticamente de graça.

Era confusa essa relação com os índios. Se uns eram escravos, capturados em guerras ou nas longas expedições de

[15] NEME, Salete Maria Nascimento. *A utilização da mão de obra indígena na região do Rio de Janeiro na segunda metade do século XVI.*

caçar gente – as bandeiras –, outros com frequência eram parceiros nessa mesma caçada. Boa parte dos bandeirantes, a maioria paulistas, muitos cariocas, eram mamelucos, quando não índios de todo. Conforme gerações da terra foram nascendo, falavam mais tupi do que português. Os tupiniquins em geral eram considerados aliados, principalmente os conversos à religião católica. E, constantemente, os índios todos tinham em sua defesa os padres da Companhia de Jesus, com autorização papal para cuidar deles e protegê-los – embora com alguma frequência isso quisesse dizer trabalhar para os padres nas mesmas condições que trabalhavam para os outros.

Quando, muitas décadas depois, os escravos índios foram substituídos por negros, o ritual matutino continuaria a se repetir. Os africanos caminhando pelas manhãs cariocas com seus jarros d'água, gritavam: "Yi, yi!".

No iniciozinho, moravam quase todos no alto do morro. Mas, após a expulsão e morte dos tamoios que ainda viviam em Cabo Frio, o receio de ataque diminuiu. O Castelo também não tinha muito espaço e, assim, a cidade foi crescendo em direção ao sopé. O subir e descer era esforço demais e o mercado que todos frequentavam ficava na praia, em frente ao porto dos Padres. Compravam pescado, hortaliças, mandioca, leite e "azeite de peixe" – o óleo de baleia. Diriam em uníssono o ditado que qualquer um conhecia: "Quem tem para candeia nunca se deita sem ceia."[16] A candeia, lampião que permaneceria aceso à noite enquanto houvesse óleo, iluminava a refeição.

Baleias frequentaram a Guanabara no inverno durante muito tempo, e sua pesca era das mais rentáveis.[17] A carne era saborosa, as barbatanas serviam de lixa e sua gordura, o óleo, era combustível. Mais: o óleo misturado a conchas trituradas dava uma argamassa resistente como poucas para a construção de prédios. (Os escravos às vezes bebiam o óleo direto do lampião, era alimento.) Valia tanto o negócio da caça à baleia, produzia tantos subprodutos úteis, que virou monopólio estatal. Para explorar a pesca, já em 1583, o empresário teve de assinar contrato de concessão pública. Criou-se, então, a primeira armação da capitania, em Niterói – armação era nome para porto da pesca de baleias e por isso seu nome foi parar em toda a costa brasileira.

A IMPORTÂNCIA DOS NATIVOS AUMENTOU QUANDO, CRESCIDA, SÃO SEBASTIÃO PRECISOU PRODUZIR COISAS PARA VENDER: AÇÚCAR. MESMO QUE QUISESSEM, NÃO HAVIA PORTUGUÊS SUFICIENTE PARA PLANTAR, COLHER, TRANSPORTAR, PRODUZIR E DISTRIBUIR CANA E AÇÚCAR.

Quando acontecia de uma baleia aparecer morta na praia, era festa – rápido chegavam canoas de todas as partes, quem estava perto largava o que tinha de fazer e, com panelas, iam todos pegar de graça aquilo pelo que, em geral, pagavam caro. Mas tinha um defeito: depois de tudo que

[16] FAZENDA, José Vieira. op. cit.

[17] CRULS, Gastão. op. cit.

valia algo ser extirpado, era dificílimo livrar-se das tripas que sobravam, e o cheiro ocupava a cidade por dias. (Não é à toa que as armações ficavam sempre longe.)

Em março de 1582, lançou âncoras na Guanabara uma frota espanhola, 23 navios, que seguia para o estreito de Magalhães. E então içou a bandeira negra: doença a bordo, mais de 400 homens abalados, vômitos convulsos – alguns mortos. Pedro Sarmiento de Gamboa, que vinha nomeado pela coroa espanhola para fundar e governar uma colônia no extremo sul da América, queria ajuda. "O governador Salvador Corrêa e os habitantes, todos muito pobres", lembraria Sarmiento num relatório, "fizeram o que lhes era possível com tão pouco."[18] Os doentes a princípio alojaram-se nas casas dos cariocas que os receberam, enquanto quem estava saudável pôs-se a construir "umas casas com folhas de palmeiras", onde o velho Anchieta trabalhou de sol a sol. Nunca a cidade tinha hospedado, e durante sete meses, tanta gente, quanto mais doentes.

Não foi incidente tranquilo. Dentro dos navios, os desentendimentos entre o futuro governador Sarmiento e o almirante da frota, Diego Flores Valdez, foram se acirrando, e no lastro vários dos que viajavam preferiram desertar e fixar moradia em São Sebastião. Em seu relatório final, Sarmiento, descrito pelos contemporâneos como um ho-

[18] FRANÇA, Jean Marcel Carvalho. *Outras visões do Rio de Janeiro colonial.*

mem generoso e íntegro, acusou Valdez de corrupção e má vontade. Mas, no Rio, o almirante deixou boas lembranças. Quando, após os cuidados, todos os homens tratados, o corcunda idoso no qual Anchieta se transformara pediu-lhe que soltasse um prisioneiro, Valdez respondeu, dirigindo-se ao infeliz: "Solte-se logo e faça como o padre Anchieta manda. Queira Deus que eu nunca deixe de fazer o que ele me mandar. A primeira vez que o vi, nunca tinha sido apresentado a coisa mais abjeta e desprezível. Depois, nunca me senti tão pequeno em presença de ninguém, nem de alguma majestade, do que como me senti diante dele."

O Atlântico havia sido inclemente com o grupo de Valdez, um homem endurecido, típico navegante do século XVI sobre quem o cronista do imperialismo britânico Rudyard Kipling diria um dia "quem não conhece o nobre Valdez não conhece a Espanha".[19]

O resultado da estada é que, das cabanas erguidas ao pé do Castelo, nasceu a Santa Casa da Misericórdia. Ela já existia como instituição desde os tempos em que foram tratados os feridos da batalha de Uruçumirim, e o prédio daquele primeiro hospital chegou a ser parcialmente construído no alto do morro. Mas, na década de 1580, já estava claro que a cidade migrara para a várzea. A infraestrutura definitiva ganhou, ao seu lado, uma igreja erguida em homenagem à Nossa Senhora do Bonsucesso.

Justamente a igreja na qual encontraria seu primeiro altar a imagem da Virgem de Copacabana.

---

[19] KIPLING, Rudyard. The Song of Diego Valdez.

Descendo-se do Castelo pela Ladeira da Misericórdia, que chegava por trás do hospital, a cidade continuava em direção ao morro de São Bento, pela praia. O casario era todo muito humilde e voltado para o mar, a imagem recorrente das paredes de taipa, chão de terra e telhados de sapé, às vezes com cerca de madeira, todo organizado de forma aleatória – o Rio nasceu qual favela, sem qualquer preocupação de traçado retilíneo. Portanto, foi apenas natural que becos muitos escuros surgissem aos poucos.

Vez por outra uma casa mais sofisticada se impunha na paisagem. Quem seguisse a praia um pouco à frente onde hoje está a praça XV de Novembro encontraria uma igrejinha minúscula, a ermida de Nossa Senhora do Ó. Ali a faixa de areia era mais larga, e com alguma frequência o mar ocupava a área. Por isso, uma rua brotou naturalmente – nem rua, caminho. Chamou-se por motivos evidentes Desvio do Mar, nome que durou pouco. No Desvio do Mar fixou residência, muito cedo, um jovem casal vindo da Madeira. O marido, Aleixo, lutou ao lado de Estácio. Uns cronistas dizem que era barbeiro e cirurgião – nenhum documento corrobora a versão. Também não esteve entre os afortunados que ganharam uma sesmaria, então talvez não tenha brilhado em batalha – a sua primeira terra doada veio só em 1586, quando tinha já 47 anos.

E, no entanto, Aleixo Manuel e Francisca da Costa tinham uma das casas mais deslumbrantes do Rio: ficava no Desvio do Mar, dois andares com telhas e, bem provável, assoalho.[20] Foi homem importante, oficial da Câmara por cinco mandatos entre 1584 e 1609, além de juiz durante um ano. Devia plantar alguma coisa, porque certa feita, explicou, tinha a "necessidade de cultivar terras sobejadas de uma sesmaria para atender ao sustento de muitos filhos e sobrinhos". Assim terminou que o Desvio do Mar passou a ser referido por rua de Aleixo Manuel. Só em 1780, quando um cidadão mais ilustre foi viver lá – o ouvidor Francisco Berquó da Silveira – é que foi adotado seu nome atual, rua do Ouvidor.[21]

Se tinha lucros por conta das plantações, talvez de açúcar, não era só disso que o rico Aleixo Manuel vivia. Tinha também três casas no Castelo, em frente ao colégio dos Jesuítas. Depois que a cidade começou a crescer rente à praia, os mais pobres foram concentrando-se no morro, pagando aluguel.

Gente pobre e livre, claro. Como a jovenzinha Catarina Morena, que chegou ao Rio na frota de Diego Valdez.[22] Talvez tenha sido tratada por Anchieta. Talvez estivesse livre da chaga que fez levantar a bandeira negra. Tinha 22 anos, uma filha de lavradores castelhanos que vinha acompanhada de seu namorado, Francisco de Burgos. Estavam entre os desertores e ficaram pela cidade – no caso dela, por cinco meses. Catarina fugiu novamente – desta vez, sozinha. Casou-se em Pernambuco, mas não durou muito a relação. Em 1591, foi

---

[20] BELCHIOR, Elysio de Oliveira. op. cit.

[21] COHEN, Alberto A. *Ouvidor, a rua do Rio.*

[22] BELCHIOR, Elysio de Oliveira. op. cit.

denunciada perante o Tribunal do Santo Ofício: era bígama. Vinha da Espanha carregando o segredo de ter sido casada com um estalajadeiro em Toledo, e não voltava ao Velho Mundo por medo do primeiro marido. Aos padres, disse que o homem era bêbado, tinha "manhas ruins" – seja lá o que gostava de fazer para ser descrito assim.

Seguindo o caminho pela praia, pouco depois da rua de Aleixo Manuel, tinha início a rua Direita, hoje Primeiro de Março. Da Direita nascia o Capueruçu – a capoeira grande, o grande desmatado; é a rua da Alfândega. Cruzando pela lateral de uma outra lagoa, o caminho seguia a noroeste, tudo terras dos jesuítas. Na tal lagoa, cheia de jacarés, ficava uma guarita onde sentinelas se revezavam na espia de índios que pudessem chegar aos bandos para atacar e, por isso, ficou sendo chamada lagoa da Sentinela por um tempo.[23] Era um manguezal como todas as outras poças d'água que assolavam a região – com a diferença de que este sobreviveu até hoje na forma de um canal para drenagem. É o Mangue, sobre o qual foi construída a atual Cidade Nova.

Este grupo pantanoso do Boqueirão, passando por Santo Antônio e chegando à Sentinela, abraçava o centro do Rio, dificultando a expansão e delimitando sua forma durante três séculos – um quadrilátero irregular, entre o Castelo e São Bento, interrompido de um lado pela praia e do outro pelos alagados.

Tirando fino pela parca terra seca, o Capueruçu seguia pelo Catumbi, Iguaçu, São Cristóvão, Engenho Velho, En-

[23] GERSON, Brasil. *História das ruas do Rio.*

genho Novo e Andaraí até a serra da Tijuca – as sesmarias jesuítas. Uma igrejinha levantada em homenagem a São Francisco Xavier, um dos fundadores da Companhia de Jesus, não é de modo algum acidental. E se Iguaçu não é nome familiar, explica-se: em tupi quer dizer Rio Comprido. As sesmarias várias que Estácio distribuiu para os padres de preto na região – os "campos da cidade" – já eram usadas na década de 1560 como pasto de gado.

Parte desta terra os jesuítas arrendaram em 1577 para os sócios Salvador Corrêa de Sá e Gaspar Sardinha. A condição é que tivesem um trapiche pronto e fabricando açúcar no prazo de dois anos, com uma percentagem paga em produto ao colégio. Em troca, poderiam explorar o terreno durante 18 anos.

Salvador Corrêa de Sá tinha 21 anos em 1568, quando Mem partiu para a Bahia deixando-o no governo do Rio. Era uma época particularmente tumultuada na história da cidade por conta da frequência com que naus francesas, às vezes mais de uma, apareciam na Guanabara sem a informação de que agora o domínio era português.

Por isso, foi através da guerra que muito cedo o rapaz conquistou o respeito dos colonos. Ainda em 1568, após um ataque francês por mar, desceu com um grupo de índios para Cabo Frio na tentativa de alcançá-los. Salvador retornou exultante com um navio conquistado. Para a festa de recepção, descreveu uma testemunha, "vestiu o governador a todos os índios de bons panos, e o mais repetiu com os soldados".[24] Os canhões da nau ficaram no Rio para incrementar a defesa – o barco, enviou-o para o tio. "E ele ficou sem nada ou, para melhor dizer, com tudo o que mais estimava, que era a honra e a benevolência dos soldados que sempre pelejaram com muito esforço e bons sucessos à sombra de tão valoroso capitão."

Salvador deixou o governo em pouco tempo, substituído por Cristóvão de Barros em 1572. Tinha um bocado do que tratar – para início, embora tivesse sido o primeiro governador, seu nome não estava na lista dos que tinham ganhado terras. Por isso mesmo, gastou boa parte de seu tempo no interior – acompanhado de seus índios, sempre de índios – à procura de escravos, outros índios e de sua obsessão particular da qual nunca, mesmo tarde na vida, jamais largou: minas de ouro e pedras preciosas; o Eldorado.

Também sua vida pessoal e amorosa foi intensa: não há historiador que concorde sobre em que ordem e com quem foram seus casamentos.[25] Certo, de acordo com o rastro de papéis, apenas que esteve com d. Inês de Sousa e que ela ainda vivia no início do século XVII. No entanto, Salvador jamais teve filhos com d. Inês. Outro casamento foi o com d. Vitória da Costa – mas é bem provável que nunca tenha havido casamento de fato e que d. Vitória fosse mulher, isso sim, de um piloto de navios chamado

[24] BELCHIOR, Elysio de Oliveira. op. cit.

[25] BOXER, Charles R. *Salvador de Sá and the Struggle for Brazil and Angola — 1602-1686.*

Vale; viviam "amancebados", Salvador e esta moça Vitória, "que fora penitenciada por judiar", lembraria anos depois um padre. Uma moça, pois, que devia ser judia, cristã nova e que ainda mantinha algumas de suas tradições ancestrais – quiçá acender as velas no Shabat quando a tardinha caía, sexta-feira. D. Vitória, mãe de Martim e Gonçalo, os dois filhos de Salvador, também foi substituída eventualmente por Luísa Tibão, mas a história de quem foi essa terceira mulher do governador perdeu-se.

Muito pouco ou quase nada foi feito na cidade do Rio durante os três anos e pouco do primeiro mandato de Salvador Corrêa de Sá – mas foi ele, afinal, quem fundou a dinastia que controlaria a vida política do primeiro século da cidade. Uma dinastia que era a cara do Brasil em seus primeiros anos, um misto de sangue e tradições envolvendo portugueses católicos, judeus sefaraditas e tupis.

A demora de sua majestade d. Sebastião na confirmação de suas sesmarias por certo provocou imensa angústia em Salvador. Em meados dos anos 1570, Cristóvão de Barros, que o havia sucedido, já tocava um engenho de açúcar na região de Magé – e foi por isso que Corrêa de Sá optou pelo arrendamento das terras jesuítas, em 1577. Gaspar Sardinha, seu sócio na empreitada, terminou por indenizá-lo, no entanto, quando veio de Portugal meses depois a notícia de que teria terras, afinal. E foi uma grande sesmaria: metade da ilha que a partir dali todos passaram a chamar ilha do Governador. Literalmente.

Salvador Corrêa de Sá tornou ao governo após a saída de Antônio Salema, em 1578, para só deixar o poder duas décadas depois. Foi um homem duro, justo para os padrões do tempo e fidelíssimo a seus aliados. Um dos que conviveram com ele foi o inglês Anthony Knivet, pirata cuja autobiografia, aventuras e desventuras no Rio colonial, estiveram entre os best-sellers britânicos nos tempos de William Shakespeare. Feito prisioneiro, Knivet serviu ora de escravo, ora de empregado de Salvador, participando de bandeiras ou trabalhando no engenho da ilha. Após várias tentativas de fuga, lembrou anos depois, "sempre que ia à presença do feitor, eu era espancado. Por diversas vezes, denunciei ao governador as crueldades que me eram impingidas. Sua Excelência, no entanto, embora visse meu corpo todo manchado e ferido, não se compadecia."[26] O inglês também não sofreu por muito tempo. Matou o feitor em represália.

"Ó mar salgado, quanto do teu sal são lágrimas de Portugal?" escreveu o poeta Fernando Pessoa. "Por te cruzarmos, quantas mães choraram? Quantos filhos em vão rezaram? Quantas noivas ficaram por casar para que fosses nosso, ó mar?" Há heroísmo, brutalidade, um profundo sofrimento e, por vezes, a mais franca estupidez em toda a história das conquistas de Portugal. "Valeu a pena?", se per-

[26] FRANÇA, Jean Marcel Carvalho. op. cit.

gunta o poeta para responder com um de seus versos mais conhecidos: "Tudo vale a pena se a alma não é pequena." Uma sutil ironia: Pessoa não diz se acha pequena ou não a alma de seus conterrâneos.

No Marrocos, eles a chamam de a Batalha dos Três Reis. Em Portugal, a Batalha de Alcácer Quibir. Al-Qasr al-Kebir: castelo grande, em árabe. D. João III, avô de d. Sebastião, já havia decidido refrear as ambições portuguesas no norte da África. E, desde 1574, o Marrocos tinha na figura de Abu Marwan Abd al-Malik um sultão endossado pelo Império Otomano. O fantasma de uma possível invasão otomana a terras europeias estava lá. E a coceira para reconquistar o que já fora português, também. D. Sebastião tinha 22 anos quando Abu Abdallah Mohammed pediu sua ajuda. Sobrinho do sultão marroquino, deposto pelo tio. Um convite para retornar ao Marrocos e sonhos de heroísmo para o jovem rei.

Em 1578, d. Sebastião partiu em sua última aventura. Numa manhã de neblina, o rei não morreu – apenas sumiu, seu corpo nunca foi encontrado. Tinha 24 anos, nenhum filho. Morreram também o sultão do Marrocos e o ex-sultão, seu sobrinho. Três reis. Sebastião entrou para a história como o rei Desejado que Portugal nunca teve de fato. Mexeu de forma tão intensa no imaginário do povo que, à mistura de suas crenças católicas, judaicas e mouras, fez-se do jovem rei o messias que um dia tornaria à terra. Sebastianismo.

Em 1580, Felipe II da Espanha, o herdeiro mais próximo da Casa de Avis, virou Felipe I de Portugal, assumindo o trono à força. Em menos de um ano as cortes reunidas em Tomar reconheceram o novo rei – "yo lo heredé", diria sobre o trono, "yo lo compré, yo lo conquisté" –, e um novo conjunto de leis, o Estatuto Filipino, foi assinado por sua majestade, garantindo autonomia política a Portugal, a contínua vigência de boa parte da legislação corrente e a manutenção do português como língua oficial.[27,28] Espanha e Portugal, agora, tinham um governo só.

EM 1578, D. SEBASTIÃO PARTIU EM SUA ÚLTIMA AVENTURA. O REI NÃO MORREU – APENAS SUMIU. MEXEU DE FORMA TÃO INTENSA NO IMAGINÁRIO DO POVO QUE FEZ-SE DO JOVEM REI O MESSIAS QUE UM DIA TORNARIA À TERRA. NASCIA O SEBASTIANISMO.

A união ibérica teve profunda influência no Rio de Janeiro. A partir dela, comerciantes portugueses passaram a ter livre trânsito entre o Brasil e o vice-reino do Peru, onde ouro e prata estavam sendo tirados da terra aos borbotões. O comércio destes peruleiros era quase todo feito através do porto dos Padres da Companhia.

Salvador Corrêa de Sá ainda estava no governo quando seu filho Martim casou com Maria de Mendoza y Benevides. O sogro do filho do governador do Rio, agora, era Manuel de Benevides, governador de Cádiz, na Espanha. Na união das duas famílias, os Corrêa de Sá ficaram mais próximos de Felipe II.

---

27 SARAIVA, José Hermano. *História concisa de Portugal.*

28 BOXER, Charles R. op. cit.

Fundado por Antônio Salema em seu curto governo, o engenho d'El-Rei, que devia servir a muitos, nunca serviu – foi abandonado, saqueado. Não era do interesse dos senhores de engenho uma competição estatal e barata. Até porque os primeiros senhores de engenho foram os governadores Cristóvão de Barros e Salvador Corrêa de Sá; um Corrêa de Sá muito mais poderoso, agora. Ainda antes de 1590, o engenho d'El-Rei foi vendido a Diogo Amorim Soares, residente no morro do Castelo e dono de casas de aluguel espalhadas pela cidade toda.[29] Era a ordem natural das coisas: o engenho a quem tinha dinheiro.

Salvador Corrêa de Sá viveu muito. Após deixar o governo carioca em 1598, passou ainda um tempo no governo de Pernambuco até retornar à Europa. Tinha 67 anos em 1614 quando voltou ao Brasil pela última vez. Um velho forte, mateiro dos bons como se tupi fora. Embrenhou-se pelos sertões à procura de ouro, que não achou. Morreu em Portugal aos 84, sabe-se lá se casado ou amancebado com quem.

No dia 3 de abril de 1579, Gaspar Sardinha, o velho sócio de Corrêa de Sá no trapiche dos jesuítas, compareceu perante o padre Anchieta. Ao seu lado, um tal João Gutier-

[29] COSTA, Cássio. *História dos subúrbios: Gávea.*

rez Valério, que trazia procuração do governador de Angola, Paulo Dias Novais. Sugeriam um novo destino para o açúcar produzido na terra dos padres. Anchieta ouviu-os com cuidado, exigiu por aluguel 10% da produção ou um mínimo de 1.660 quilos de açúcar ao ano. Os novos sócios aceitaram o preço. Seu plano não era exportar para Portugal o excedente da produção de açúcar carioca. Com a bênção de Anchieta, o objetivo era usar açúcar como moeda de troca em Angola.

Em 1583, Valério conseguiu de Salvador a concessão para carga e descarga da ilha das Cobras. E, lá, desembarcou suas primeiras "peças", inaugurando o tráfico de negros em São Sebastião do Rio de Janeiro.

POR SÁ GANHADA

A *calle* Río de Janeiro, em Buenos Aires, é uma rua miúda que corta quatro quarteirões no centro geográfico da cidade, delimitada à beira do parque Centenário pela avenida Díaz Vélez, com mão em direção à outra ponta, na avenida Rivadavia. Ela separa também dois bairros: à esquerda dos carros, o Almagro; à direita, o Caballito. É um quê sem graça. Desde 1913, ali está a décima segunda estação da linha A do metrô, contando do porto para baixo, além da sede da Associação Argentina de Cultura Inglesa. Como é típico da capital, prédios ecléticos de finais do século XIX misturam-se harmoniosamente com elegantes edifícios em art déco e discretas construções que datam dos anos 1950 para cá. Assim, miúda e central, impõe-se como lembrança dos tempos em que ambas, Rio e Buenos Aires, cresceram em conjunto, os dois pontos intermediários no caminho entre Angola e as minas do Potosí no tráfico de gente para a morte certa, sofrida e lenta, em troca de prata e ouro.

Nos primeiros anos do século XVII, chegavam à Bolívia vindos com escalas pelos portos do Rio e Buenos Aires 450 homens e mulheres negros anualmente, um número que nos 30 anos seguintes só fez aumentar. Nas minas profundas e escuras, encontravam uma expectativa de vida de oito meses, que fazia do tráfico constante e intenso. Durante meio século, o envio de escravos e mercadorias contrabandeadas para a região mais rica das Américas sustentou e deu razão de ser às duas cidades portuárias, garantiu sua sobrevivência para que no futuro se transformassem em capitais políticas. Pouco da enorme quantidade de dinheiro que este comércio gerou, no entanto, ficou em ambas. Em geral, as divisas tomaram o rumo da Europa no bolso dos oficiais de governo quase sempre corruptos.

Não são, Rio e Buenos Aires, irmãs gêmeas e íntimas apenas em seus pecados. Diferentemente das outras cidades que terminaram centros importantes na América do Sul, elas foram fundadas em território de índios hostis e, durante seus primeiros meses e anos, foi difícil conseguir até a comida do dia a dia. Nesse sentido, Buenos Aires é a imagem espelhada do Rio, a eterna lembrança do que a cidade brasileira poderia ter sido se Estácio e os seus tivessem perdido para os tupinambás. Porque, em 1537, d. Pedro de Mendoza perdeu para os charrúas. Foram tão ruins os tempos daqueles primeiros colonos que, houve o momento, os prisioneiros condenados à morte passaram a servir de refeição aos que viviam – e os europeus fizeram-se antropófagos.[1]

Na capital da Argentina, os ares são densos e melancólicos, remetendo, talvez, ao trauma de parto; o espírito portenho, que o escritor Marcos Aguinis chamou de "atroz encanto", contrasta com a alegria carioca como contrastam os vários tangos, de Gardel a Piazzola, com samba, bossa nova ou choro. Foi apenas décadas depois, em 1580, que um grupo de europeus deixou Assunção, no atual Paraguai, para fundar pela segunda vez a cidade em homenagem à *Nuestra Señora del Buen Aire* à beira do rio da Prata.[2]

A flecha varou a janela, atravessou o escritório e alojou-se na parede; enrolada em seu corpo, uma nota dava notícia de que era bom o desembargador se cuidar.[3] O pobre desembargador Manuel Jácome Bravo. Que havia de fazer? Apenas alguns meses antes, chegara ao Rio de Janeiro com ordens do governador-geral para que investigasse abusos do governador local. Mal chegou e seus guardas pessoais foram presos. Como Bravo insistiu na investigação, o prelado Mateus da Costa Aborim, responsável em nome do bispo por tudo que era católico na cidadezinha, o excomungou.

---

[1] LANATA, Jorge. *Argentinos*: Tomo 1, desde Pedro de Mendoza hasta la Argentina del Centenario.

[2] BERNAND, Carmen. *Historia de Buenos Aires.*

[3] COARACY, Vivaldo. *O Rio de Janeiro no século XVII.*

O governador do Rio era impune. Bravo não foi o primeiro a enfrentá-lo. O juiz que presidia a Câmara da cidade já havia sido preso quando confrontou o governador. Quando o ouvidor foi reclamar, também ele acordou atrás das grades. (Como cadeia e Câmara ocupavam o mesmo prédio, no topo do Castelo, bastou mudar de aposento.)

Bravo não tinha mais nada o que fazer – naquele mundo pré-iluminista, quem fosse excomungado não podia exercer função pública. Ele até procurou apoio na Câmara, mas o presidente, gato escaldado que já passara por isso antes, tirou o corpo fora. "Tudo quanto obrara" o governador, mandou dizer, "era bem-feito e que no colégio havia padres a quem podiam perguntar se a excomunhão estava bem-disposta ou não." No relatório final que enviou à Bahia, o pobre desembargador limitou-se a pedir desculpas "por não poder cumprir com o que Sua Majestade manda, estando excomungado e oprimido por tantas vias."

Desde que este Afonso de Albuquerque tinha substituído Martim Corrêa de Sá no governo da cidade, em 1608, não havia carioca em paz. Era um arbitrário. Seu irmão mais talentoso, Jerônimo de Albuquerque, vivia no Norte e seria uns anos à frente o libertador do Maranhão, expulsando os franceses de São Luís. Mas Afonso não era nem nunca chegou a ser nada disso. O que fazia era dar ordens estapafúrdias, como mandar que um dito comerciante abandonasse tudo para montar guarda na porta de sua residência oficial. Quem desobedecia, cana. Foi apenas natural que a população se manifestasse: revolta nas ruas, motins, prisões atrás de prisões seguiram-se. Foi só em 1613 que o governador-geral mandou apurar o que acontecia, já passados cinco anos de mandato. E, então, terminou excomungado o representante do poder central.

Enquanto as trapalhadas dominavam a administração, uma sombra de morte epidêmica tomou o Rio: varíola. A doença, uma das mais temidas desde a Antiguidade, era barbaramente contagiosa. Primeiro trazia moleza no corpo para então, após uma aparente melhora, produzir crostas em toda a pele. Os com sorte carregariam as cicatrizes pelo resto da vida; os outros morriam. Já fazia muitos séculos que os chineses colhiam o pus dos doentes para inocular jovens sadios, imunizando-os; mas, no ocidente, ainda demorou quase dois séculos para que um médico inglês descobrisse que o sangue de uma vaca contaminada com doença parecida deixava imune quem fosse contagiado. Essa vacina – o nome vem de "vaca" – ainda não existia.

Tampouco existiam os mínimos cuidados com higiene que poderiam ter controlado a epidemia. Os colchões, roupas e lençóis de doentes eram jogados em lixões a céu aberto. Os índios escravos que morriam, coitados, eram enterrados na beira das estradas em cova rasa. Só quase uma década depois a Câmara designaria a ilha de Villegagnon para isolar os pacientes, o que melhorou apenas parcialmente o problema. Durante um bom tempo ela seria lembrada, a ilha, por Degredo das Bexigas – de bexiga, o nome popular para as marcas da varíola.

Doente e desordenado, pois, foi o Rio de Janeiro que Constantino de Menelau encontrou em dezembro de 1613, quando a mando do governador-geral veio assumir a administração. Depois da tal excomunhão, não parecia mais necessário investigar nada. O governador-geral simplesmente ordenou a retirada imediata de Afonso de Albuquerque. E que alívio há de ter sido, pois 1614 não foi nada como 1613. Das primeiras coisas que Menelau fez foi dar uma animada na economia, regularizando o escambo. Como havia pouca moeda corrente, qualquer compra perigava terminar sempre em discussão. Cidade pequena, como a aldeia gaulesa de Astérix em que todo mundo se conhece, tem sempre cizânia surgindo à toa. O que o novo governador fez foi implantar o açúcar-moeda, tabelado.[4] Uma arroba – 15 quilos – de açúcar branco valia 1.000 réis; o mesmo peso de mascavo, 640; açúcar de segunda, 320. E, implantado o açúcar-moeda, todos passaram a ser obrigados a aceitá-lo como se dinheiro fosse.

Mas era preciso também alguém que determinasse o peso oficial – porque também nisto confusões e trapaças surgiriam sempre. O trabalho coube, pois, ao Aleixo Manuel – não aquele, o rico, da rua do Ouvidor, mas ao Aleixo Manuel moço. O filho. E, por concessão pública, abriu um armazém à beira da praia, em frente à casa onde viveram seus pais, com balança – o *ver-o-peso* oficial. Era seu o número que valia, para o comércio local ou para a exportação. De cada pesagem, cobrava um quê.

O século XVII estava apenas começando e o Rio de Janeiro era já bem diferente. O temor dos índios não existia mais – índios agora já não atacavam, eram caça-

[4] COARACY, Vivaldo. op. cit.

dos e feitos escravos nas bandeiras. Os franceses também parecia que tinham desistido de dominar a cidade, eram apenas corsários, buscavam pontos mais vazios do litoral para fazer suas trocas com os tupinambás – e, para defenderem-se, os portugueses seguiam povoando o litoral. Cabo Frio aqui, Angra dos Reis acolá, cidadezinhas ainda menores nascendo por perto. O que não queria dizer que fosse tudo tranquilo: um novo inimigo estava surgindo.

No final daquele 1614, Martim Corrêa de Sá encontrava-se em Jacarepaguá, em um de seus engenhos, quando recebeu a notícia de que a frota do almirante holandês Joris van Spilbergen fora vista ao longe no Atlântico e que teria aportado em ilha Grande. Sua viagem, apenas no início, seria a sexta circum-navegação do planeta, a terceira repetindo o caminho de Fernão de Magalhães.

RIO E BUENOS AIRES CRESCERAM EM CONJUNTO, OS DOIS PONTOS INTERMEDIÁRIOS NO CAMINHO ENTRE ANGOLA E AS MINAS DO POTOSÍ, NO TRÁFICO DE GENTE PARA A MORTE CERTA, SOFRIDA E LENTA, EM TROCA DE PRATA E OURO.

Não havia jeito, é claro – qualquer grande viagem com partida da Europa que passaria pelo estreito de Magalhães em direção ao Pacífico teria de contornar o litoral brasileiro. No final da década de 1580, quando o inglês Thomas Cavendish chegou a entrar na Guanabara, da batalha ficou um escravo e amigo para o então jovem Martim, filho de Salvador Corrêa de Sá – Anthony Knivet. Em 1599, foi a vez de o holandês Oliver van Noort arriscar-se dentro da Guanabara. Logo saiu.

Naquele 1614, o governador do Rio podia ser Constantino de Menelau, mas Martim era chefe do clã Sá. Um governador podia mandar momentaneamente, mas um Sá era um Sá. E foi Martim, portanto, quem reuniu seu exército tupiniquim para enfrentar Van Spilbergen. Trocaram tiros, mataram gente, fizeram reféns de ambos os lados. O holandês levantou âncoras e foi-se embora raivoso: sobrou para Santos, que foi pilhada.

Em um de seus retratos conhecidos, Joris van Spilbergen está de perfil, os cabelos louros, sua barba termina num cavanhaque em V.[5] A gola enorme, à moda do tempo, lembra um leque branco, o peito é protegido por uma couraça metálica. Do Brasil, seguiu ao sul, onde reportou ter encontrado um gigante na Terra do Fogo, então saqueou o Peru mais à frente e, na Ásia, tomou o Sri Lanka – ou libertou-o do invasor português, depende de quem conta. Após dois anos estava de volta em casa.

A independência dos vários países que deram forma à Holanda era recente e, por isso, apesar da tradição de bons navegadores, os holandeses tinham ficado de fora do jogo europeu de colônias. O que Espanha e Portugal chama-

[5] Gravura que acompanha a prima edição de *Primeira viagem às Índias Orientais, 1601 a 1604*, de Joris van Spilbergen (tradução livre).

vam de pirataria eles preferiam chamar de luta pelo livre comércio entre as nações.[6]

Como era esse dito livre comércio que sustentava o país, montaram uma entidade sofisticadíssima: a Companhia Holandesa das Índias Orientais, que seria responsável pelo financiamento das expedições, distribuição dos lucros (e prejuízos) entre os sócios e definição de estratégias. O interesse inicial era nitidamente o comércio. Essa Companhia das Índias era inédita porque operava por concessão pública, mas era privada, independente do Estado e, no entanto, com autoridade para exercer a diplomacia entre Holanda e quaisquer países interessados. Van Spilbergen, como Van Noort, estavam entre seus funcionários mais graduados na virada do século.

Mas a economia seiscentista baseada na exploração das linhas comerciais com a Ásia estava mudando – as colônias de exploração que produziam principalmente açúcar, no Atlântico, assumiam um nível de rentabilidade estrondoso – em todo o século XVII, nada movimentou tanto dinheiro no mundo quanto o açúcar.[7] Daí, e também pelo sucesso da primeira, foi criada a Companhia Holandesa das Índias Ocidentais com estrutura parecida mas novo objetivo: conquistar nas Américas um polo de plantação de cana e, na África, um porto exportador de escravos para lavoura. Uma empreitada dependia da outra.

---

[6] MOTLEY, John Lothrop. *History of the United Netherlands.*

[7] FURTADO, Celso. *Economia colonial no Brasil nos séculos XVI e XVII.*

A Holanda passaria, então, a ser a principal ameaça à América de portugueses e espanhóis. E essa mudança terminaria por tirar o Rio da periferia para lançá-lo no centro da geopolítica mundial.

No dia 7 de fevereiro de 1629, o prelado Mateus da Costa Aborim, há 22 anos autoridade católica máxima da cidade, amanheceu morto por envenenamento.[8] Tinha sido ele, vários anos antes, quem excomungara o pobre desembargador Bravo – assim como excomungou muitos outros, mais ou menos importantes, naquele pequeno Rio de Janeiro. O crime nunca foi solucionado e provavelmente não havia muita gente com vontade de encontrar o assassino. Não era pessoa lá muito benquista.

Nas ruas, no boca a boca ligeiro que ia do Castelo ladeira abaixo e voltava, a maioria apontava sorrateira o padre Manuel da Nóbrega. Não aquele, morto em São Sebastião fazia quase 60 anos, mas um seu homônimo; o, como alguém deixou escrito, "padre judeu". Apenas uns anos antes, em 1625, esse cristão novo feito sacerdote apareceu com uma carta debaixo do braço com ordens de Lisboa para que assumisse uma freguesia da cidade. Mas só havia uma freguesia e todos gostavam do padre João Pimentel, seu responsável. O prelado Aborim negou-lhe o direito e, mesmo sem posto, Manuel da Nóbrega foi

[8] COARACY, Vivaldo. op. cit.

ficando por ali, sempre que podia berrando contra o prelado.

Para eles, os cariocas, com certos receios de que um cristão novo batizasse seus filhos, Nóbrega era por certo o assassino mais conveniente. O episódio em que negaram igreja ao padre judeu tinha sido um dos raros em que prelado e população se encontraram no mesmo lado. Mas, pelo crime, ninguém foi condenado.

Já fazia muito tempo que os jesuítas não tinham mais o monopólio do catolicismo em São Sebastião. Desde finais do século XVI, foram chegando os franciscanos, então os beneditinos, aí os carmelitas. E seguiram alojando-se. No caso dos franciscanos, por exemplo, cuja ordem não podia ter posses, fizeram com que o morro de Santo Antônio, ali atrás do atual edifício Avenida Central, fosse doado ao papa. Sem tais pudores, os beneditinos aceitaram de bom grado seu morro de São Bento, onde se puseram a construir um dos mais belos mosteiros da cidade – e onde funciona até hoje seu colégio. Os carmelitas, que não quiseram um morro, ficaram com uma pequena ermida em frente à atual praça XV, não longe da casa de Aleixo Manuel, o velho. Era a ermida de Nossa Senhora do Ó – que aos poucos foi substituída pelo prédio do convento que ainda existe, onde funciona a universidade Cândido Mendes, em cujas costas passa, naturalmente, a rua do Carmo.

Se o Rio gostava duma confusão – o povo brigava com a Câmara, a Câmara com o governador, o governador ignorando a todos e de hora em hora, um ou outro partia contra todo o resto –, os carmelitas estavam entre os mais afeitos à pancada. Uma de suas queixas constantes tinha a ver com o monopólio dos enterros da Irmandade da Misericórdia, talvez menos pelo monopólio e mais porque quase todo cortejo fúnebre passava pela porta de seu convento em direção à Santa Casa. A cada vez que passava um bando carregando um caixão, saíam os monges e seus escravos, porretes à mão, para descer lambadas e dispersar o povo. Quase todo enterro era assim – e assim ficou até que o prelado Aborim, em 1622, apelasse ao governador-geral, na Bahia, para interceder. Estaria entre os carmelitas seu assassino?

Como num romance de Agatha Christie, todos tinham um pouco motivo para vê-lo morto. O principal era justamente a questão dos escravos. Aborim foi um dos principais aliados dos jesuítas na proibição de escravizar os índios conversos, o que o punha contra quase todo mundo.

No dia 4 de fevereiro, em 1628, chegou ao Rio após quase naufragar o pequeno barco que trazia da Bahia d. Luis Céspedes Xeria, um espanhol nobre e sem dinheiro que tentava desesperadamente chegar ao Paraguai, para onde tinha sido nomeado governador.[9] Martim, que tinha voltado ao governo desde 1623, viu nessa escala fortuita um sinal de boa sorte. Recebeu-o com tantos luxos e boa hospitalidade quanto podia, e de quebra negociou

[9] BOXER, Charles R. *Salvador de Sá and the Struggle for Brazil and Angola — 1602-1686.*

um casamento: sua sobrinha Vitória passou a mulher do governador nobre e falido do Paraguai. A essas alturas, tendo juntado terras e diversificado seus negócios para além do açúcar, os Sá eram ricos e investiam pesadamente na costura de suas relações políticas. No caso de d. Luis, bastou-lhes um dote para fechar a aliança em direção à América espanhola.

Era conturbada a fronteira entre os dois lados das Américas. Como a união ibérica deixou difusas as estruturas de poder, as disputas ficaram mais acirradas. Os bandeirantes paulistas frequentavam ávidos território que o Paraguai reivindicava. Para piorar, na linha fronteiriça, terra de ninguém, quem controlava o espaço eram os jesuítas que haviam implantado suas Reducciones. Estas grandes aldeias comunitárias sob o comando da Companhia de Jesus. Descritas mais tarde por alguns como comunistas, reuniam milhares de índios, a maioria guaranis, mas também alguns tupis. Conforme iam escasseando os índios soltos nas matas, tanto bandeirantes quanto colonos paraguaios começaram a erguer o olho grande em sua direção.

E foi essencialmente uma bandeira a expedição que levou d. Luis do Rio a São Paulo e de lá para assumir seu governo, em Assunção. Uma de suas funções seria de proteger os direitos legais dos jesuítas. Curiosamente, quando o famoso bandeirante Raposo Tavares desceu sobre as Reducciones para capturar escravos, apenas um ano depois da chegada do novo governador, não houve reação. D. Luis permitiu que acontecesse o ataque como se, suspeitam alguns historiadores, já estivesse tudo combinado com os paulistas por intermédio dos Sá.[10]

Quase um século antes, quando Portugal dividiu o Brasil em capitanias, entre os direitos dos donatários estava o de escravizar os nativos e exportá-los para a Europa.[11] Esse direito vacilou ao longo das décadas seguintes, com Estado e Igreja oscilando entre o desejo de protegê-los e a pressão populacional pela necessidade de mão de obra. A cultura da cana-de-açúcar não teria sido possível de outra forma – simplesmente não havia portugueses suficientes para o trabalho. Para Portugal, em particular, a questão era delicada porque os espanhóis, afinal, tiravam de sua colônia metais preciosos. Aos portugueses não havia caminho de sustento que não a lavoura de açúcar, imensamente lucrativa, mas muito trabalhosa.

OS HOLANDESES TINHAM FICADO DE FORA DO JOGO EUROPEU DE COLÔNIAS. O QUE ESPANHA E PORTUGAL CHAMAVAM DE PIRATARIA, ELES PREFERIAM CHAMAR DE LUTA PELO LIVRE COMÉRCIO ENTRE AS NAÇÕES. [...] E MONTARAM UMA ENTIDADE SOFISTICADÍSSIMA: A COMPANHIA HOLANDESA DAS ÍNDIAS ORIENTAIS.

Nessas fazendas, os escravos eram maltratadíssimos. "Vi, certa feita, um negro faminto que, para encher a barriga, furtara dois pães de açúcar", conta em seu relato um

[10] O conflito persistiu ainda muitos anos e é tema do filme *A missão*, vencedor do Oscar de Melhor Fotografia em 1987. Sua história se passa uns 100 anos mais tarde.

[11] FURTADO, Celso. *Formação econômica do Brasil.*

europeu que esteve no Rio em 1618.[12] "Seu senhor, ao saber do ocorrido, mandou amarrá-lo de bruços a uma tábua e, em seguida, ordenou que um negro o surrasse com um chicote de couro. Seu corpo ficou, da cabeça aos pés, uma chaga aberta, e os lugares poupados pelo chicote foram lacerados a faca. Terminado o castigo, um outro negro derramou sobre suas feridas um pote contendo vinagre e sal. O infeliz, sempre amarrado, contorcia-se de dor. Tive, por mais que me chocasse, de presenciar a transformação de um homem em carne de boi salgada e, como se isso não bastasse, de ver derramarem sobre suas feridas piche derretido. O negro gritava de tocar o coração. Deixaram-no toda uma noite, de joelhos, preso pelo pescoço a um bloco, como um mísero animal, sem ter as suas feridas tratadas."

É mais que controverso o motivo que levou à adoção final de escravos importados da África em detrimento dos nativos. Três fatores certamente pesaram: um é cultural. Diferentemente dos nativos que os espanhóis encontraram em suas terras, os povos da costa atlântica eram em sua maioria nômades; mesmo os tupis, mais avançados tecnologicamente, ainda assim eram seminômades e plantavam pouco. Na África, os povos todos já dominavam a agricultura como os europeus. O perigo deste argumento é o óbvio preconceito nele embutido e o esquecimento duma segunda razão. Não foi à toa que Raposo Tavares avançou ainda em 1629 contra as Reducciones: já neste início do século XVII, os índios estavam acabando e a necessidade

[12] FRANÇA, Jean Marcel Carvalho. *Outras visões do Rio de Janeiro colonial.*

de trabalho na lavoura só aumentava. Estavam sendo exterminados em nome do sadismo econômico colonial. E entra aí a terceira razão, talvez até mais importante: a caça de índios era conveniente; mas a importação de escravos da África era lucrativa, uma lição que os cariocas parecem ter aprendido muito rápido e antes de todos.

Em 1620, o governo do Rio de Janeiro estabeleceu que nenhum navio poderia carregar-se de açúcar, aguardente ou mandioca em seu porto sem o compromisso de que traria na volta um número determinado de escravos negros.[13] Desde já fins do século XVI que até 30% do preço dos escravos era pago diretamente em farinha de mandioca, um produto que se viu popularíssimo na África; e foi só essa popularidade ser constatada que se acirrou o desmatamento no litoral carioca para levantar a maior lavoura de mandioca do país.[14] Já em 1610, o Rio exportava 1,5 milhão de litros da raiz por ano e nada disso tinha a Europa por destino. Outros 30% do preço do escravo eram pagos em açúcar, no que veio bem a calhar a decisão de Menelau de regulamentar seu valor em moeda.[15]

Quando Martim de Sá tornou ao governo, a produção agrícola do Rio já não tinha em vistas o mercado europeu

---

[13] COARACY, Vivaldo. op. cit.

[14] MELLO, Carl Egbert H. Vieira de. *O Rio de Janeiro no Brasil.*

[15] LESSA, Carlos. *O Rio de todos os Brasis.*

fazia anos. A cana carioca produzia caldo em maior quantidade, mas a pernambucana tinha teor mais alto de sacarose. Esta pior qualidade era irrelevante na África e quem detinha o controle da produção de açúcar e mandioca tinha, essencialmente, uma Casa da Moeda nas mãos preparada para engajar-se no tráfico negreiro. Até porque o Rio, além de produzir aquilo de que os traficantes que vinham da África precisavam, tinha outra vantagem: seu porto era o mais próximo, no Novo Mundo, para quem vinha de Angola.

Uma farta propina esperava o governador de Buenos Aires a cada navio que os peruleiros traziam carregados do Rio. Por essa época, um quarto da população na futura capital argentina era de portugueses. Em 1620, segundo números oficiais, viviam entre os portenhos 1.500 negros vindos do Brasil – mas é só levar em conta que entre 1606 e 1625 foram apreendidos 9.000 homens que estavam sendo contrabandeados por ali para compreender que vale nada o número oficial. O bojo, no entanto, tinha outro rumo: a Bolívia, que fazia parte então do vice-reino do Peru.

Perder duas lhamas deve ter soado como péssima notícia para Diego Huallpa, um pastor de sangue inca, paupérrimo, que em 1544 vivia num lugar ainda pouco explorado da colônia espanhola. Diego então cercou seu rebanho e tornou a subir a montanha atrás dos bichos perdidos; quando percebeu, anoitecia. Encolheu-se em seu manto, acendeu o fogo e no lusco-fusco dos entre olhos adormecidos viu que a terra ao seu redor brilhava. Ouro, prata. A Villa Imperial de Potosí foi fundada ali no ano seguinte.

Em meados do século XVII, chegou a ter 160.000 habitantes, a maior cidade do Novo Mundo. O Rio de Janeiro tinha só um açougue quando no Potosí já funcionavam 14 escolas de dança, 36 casas de jogo, 24 lojas de tecido.[16] A 4.000 metros de altura, isolada no centro da América do Sul, de suas 3.000 bocas foram extraídos, até 1600, 19.353 toneladas de prata e 420 toneladas de ouro, superando tudo que os espanhóis já haviam confiscado dos incas. Numa decisão mirabolante, a coroa espanhola havia determinado que toda a região só poderia receber mantimentos vindos de Sevilha através do Panamá e, de lá, transportados por mulas. A segunda fundação de Buenos Aires veio, portanto, de uma esperteza comercial. Era caminho muito mais rápido e eficiente para o contrabando. Quando ao caminho juntou-se o porto carioca, uma fortíssima linha de tráfico foi implantada e operou por mais de um século até que secassem as minas.

Na viagem completa, entre Angola e Peru, com escala no Rio e em Buenos Aires, o negócio rendia 300% de lucro. Não eram só de escravos que os peruleiros se carregavam na cidade dos Sá, mas toda e qualquer espécie de produto. "Por meio de barcos de 30 ou 40 toneladas cada um", escreveu um deles para o irmão, "carregados de açúcar, arroz, tafetás, chapéus e outros gêneros de mercadorias que transportam

[16] LESSA, Carlos. op. cit.

até o Peru para regressar depois de quatro ou cinco meses a este Rio de Janeiro carregados de reais de prata e trazendo daqueles lugares não mais mercadorias, mas dinheiro."[17]

Não à toa d. Luis, o governador do Paraguai, ficou tão encantado com seu casamento dentro da família Sá. Porque, ao contrário de Buenos Aires, o Rio tinha dono. E o que a família governante gerenciava era coisa ímpar. Por um lado, comprava escravos da África pagando mais da metade em produtos que fabricava – açúcar, mandioca, um quê de cachaça e tabaco. Esses escravos, atravessava-os para os peruleiros, que iam revendê-los na Bolívia. Aquilo que os cariocas compraram em produtos venderam em dinheiro – o preço já devidamente inflacionado. É como se o dinheiro brotasse nas mãos de uns poucos. O que garantia o sustento da elite era o tráfico, mas, como em Buenos Aires, quase nada dessa renda terminava investida na cidade.

A primeira notícia de ataque patrocinado contra o Brasil pela Companhia das Índias Ocidentais veio em 1624. Durante boa parte do planejamento, os holandeses conseguiram manter a expedição em segredo, mas, conforme os últimos ajustes se davam, foi impossível esconder os 26 navios tripulados por 3.330 homens que tomariam parte da missão.[18] Em toda a costa brasileira, o aviso de alerta espalhou-se, embora sem certeza de qual seria o alvo.

---

[17] LESSA, Carlos. op. cit.

[18] BOXER, Charles R. op. cit.

Martim de Sá licenciou-se do governo tão logo soube, deixando o irmão Gonçalo no lugar.[19] Durante meses, cuidou apenas de fortificar o Rio de Janeiro. Na praia abaixo do Castelo, levantou dois fortes, estimulou os jesuítas a murarem os arredores do colégio e, então, mudou-se para Niterói, onde coordenou pessoalmente a reforma da fortaleza de Santa Cruz. De lá não arredou pé – é de onde pretendia chefiar os combates caso viessem.

A HOLANDA PASSARIA A SER A PRINCIPAL AMEAÇA À AMÉRICA DE PORTUGUESES E ESPANHÓIS. E ESTA MUDANÇA TERMINARIA POR TIRAR O RIO DA PERIFERIA PARA LANÇÁ-LO NO CENTRO DA GEOPOLÍTICA MUNDIAL.

Mas nem na Bahia, nem ali no Rio, as gentes acreditaram muito que houvesse perigo de fato. A população, os senhores de engenho, mercadores, todos foram levando suas vidas cotidianas. No caso carioca, ao menos tentaram levá-las. Naquele ano tinha chegado à cidade o desembargador João de Sousa Cardenas, que pretendia fazer a devassa dos papéis do governo e da Câmara. Coisa burocrática e recorrente, nem por isso era do agrado dos oficiais eleitos. E Cardenas tinha um problema em particular: achava que a lista de eleitores estava inchada demais. Podia votar, por lei, quem tinha terras na cidade. Mas, dá-se um jeito aqui, outro ali, os vereadores tinham ampliado o acesso à urna a vários comerciantes e donos de terras que viviam na zona

[19] COARACY, Vivaldo. op. cit.

rural. Quando ficou claro que haveria uma limpa e que o resultado alteraria o equilíbrio político, os chefetes que sairiam perdendo revoltaram-se. A um ponto das discussões, quiseram o governador de volta em seu posto. Sentiam que Martim teria mais influência e poderia dobrar o desembargador. Que ele tinha abandonado suas responsabilidades locais.

"Bom seria que vosmecês viessem cá também gozar deste trabalho e ajudar por alguns dias para testemunhar minha assiduidade", escreveu Martim de Sá para os vereadores. "Pois me sinto tão pouco venturoso nesta cidade, ganhada aos inimigos e povoada por meu pai e por meu pai e parentes sustentada, como sabem vosmecês, honrados que são. Em todas as partes por onde andei sou mais acatado, mais amado, mais estimado do que aqui o sou, ao que atribuo o provérbio Ninguém é profeta em pátria sua. Poderei achar que é inveja? Não. Não poderia ser por serem vosmecês quem são."

"O que me faz estar presente neste forte é estar aguardando por horas ao inimigo que à porta temos", continuava. "Vejo que estou atualmente ocupado neste cargo; vejo a opinião que têm de mim e trato de a sustentar, sobretudo por ser esta cidade pelos Sá ganhada e não é bem que em tempo dum Sá se perca."

Atacaram a Bahia, não o Rio. Os holandeses traziam consigo gente que tinha sido presa por Martim anos antes, na expedição de Van Spilbergen, e que tinha morado uns tempos em Salvador. Seu cálculo era de que os portugueses, insatisfeitos com o domínio espanhol, não se esforçariam por demais na defesa do território. Criam, também, que os escravos negros poderiam levantar-se em revolta e que a grande população de cristãos-novos não teria qualquer problema em jurar a bandeira holandesa – melhores eles que os inquisidores.

Se conseguiram invadir a capital do Brasil de então, não foi por nenhum desses motivos. Lá, como no Rio, só o governador-geral trabalhou nas defesas. Quando o ataque se mostrou iminente, muita gente fugiu. Mas a reconquista veio em meses. Terminou sendo não mais que um ensaio do que se concretizaria mais adiante, com a conquista de Pernambuco, em 1630, e de Angola, em 1641.

Quatro gerações dos Sá alternaram-se no governo do Rio, de fato ou pró-forma, começando com Mem de Sá, passando pelos contemporâneos Estácio e Salvador, então por Martim até seu filho, também Salvador. De todos, Martim talvez tenha sido o menos importante. Não foi jamais governador-geral; não conquistou, tampouco ergueu do nada uma cidade; e, diferentemente do que viria a ser seu filho, nunca chegou a ser um dos homens mais importantes do império.

Salvador Corrêa de Sá, o velho, ainda era quem mandava quando uma vez o bandeirante João Pereira de Souza

Botafogo, que batizou o bairro em que viveu e mais tarde governou São Paulo, chamou Martim de "o filho bastardo do governador". São tão poucas as referências a d. Vitória, sua mãe, que é bem plausível acreditar que foi criado por d. Inês, primeira mulher de seu pai. O inglês Anthony Knivet, que conviveu com ele em sua juventude, lembra que "um dia, Martim desentendeu-se com sua madrasta e, a mando de seu pai, viu-se obrigado a retirar-se para um lugar de nome Goitacazes".[20,21] No interior, tanto ele quanto Knivet caçavam índios. "Durante os dois anos que lhe servi", lembraria a respeito de Martim, "tratou-me bastante bem."

Era, ao que tudo indica, se não generoso, pelo menos excelente anfitrião, e não são apenas os testemunhos de Knivet e de d. Luis, governador do Paraguai, que o dizem. "Martim de Sá vinha com seu filho, dois frades beneditinos e mais de 40 índios remadores", conta um navegante que esteve no Rio em finais de 1618.[22] Dá quase para imaginá-lo a bordo das longas canoas tupis abordando o navio estrangeiro no porto. "Subiu a bordo", continua o navegante, "e ofereceu-nos, em nome de Sua Majestade, dinheiro e tudo o mais de que precisássemos. Depois, dirigindo-se aos marujos, estimulou-os a empreender a viagem da melhor maneira, acrescentando que, se alguém tencionava ficar em terra sem autorização, não o fizesse, pois, mal os navios par-

[20] FRANÇA, Jean Marcel Carvalho. *Outras visões do Rio de Janeiro colonial.*

[21] Atual Campos.

[22] FRANÇA, Jean Marcel Carvalho. *Visões do Rio de Janeiro colonial.*

tissem, ele pessoalmente iria caçar os desertores, capturá-los e enforcá-los sem piedade."

As ameaças talvez fossem mais para efeito que concretas, porque, quando um pequeno motim aconteceu e o capitão decidiu enforcar marujos, "o filho de Martim de Sá pediu pela vida de um tal Marco Antônio, o cabeça do grupo, e fomos assim obrigados a condenar os revoltosos às galés". Martim ainda "presenteou os enfermos que tínhamos a bordo com uma vitela viva, dois pães de açúcar de grandes dimensões, muitas frutas da terra e uma canoa de lenha".

Outro que guardou boas lembranças de Martim é frei Vicente do Salvador, um franciscano que ajudou a erguer o convento de Santo Antônio e escreveu a primeira história do Brasil. Ele conta que, no período do risco de invasão holandesa, o governador deu ordens para reunir homens em vários locais para ajudar na defesa da cidade.[23] Muitos, sem dinheiro para ter sapatos, não se apresentaram. Martim "ordenou uma companhia de descalços da qual quis ser capitão e assim ia adiante deles na revista das tropas, descalço e com ceroulas de linho, e os homens o seguiam com tanta confiança e presunção de suas pessoas que não davam vantagem aos que nas outras companhias militavam, ricamente vestidos e calçados".

A sola dura do pé que aguenta descalço o chão da mata tropical, cultivou-a antes de ser governador, quando varou todo o interior do sudeste brasileiro em bandeira à caça de

[23] BELCHIOR, Elysio de Oliveira. *Conquistadores e povoadores do Rio de Janeiro.*

escravos. Mas o próprio Martim é o melhor exemplo da maneira dúbia pela qual os Sá sempre se portaram na questão indígena. Principalmente na juventude, pensou como mercador de escravos e senhor de engenho que precisava de mão de obra sempre; mas pensou também como aliado dos jesuítas e como governador. No fim da vida, cuidou de cercar o Rio de aldeias que ele e a Companhia de Jesus fundaram, cheias de índios aliados que sempre lhe serviram como os melhores e mais fiéis soldados.

A PRIMEIRA NOTÍCIA DE ATAQUE PATROCINADO CONTRA O BRASIL PELA COMPANHIA DAS ÍNDIAS OCIDENTAIS VEIO EM 1624. DURANTE BOA PARTE DO PLANEJAMENTO, OS HOLANDESES CONSEGUIRAM MANTER A EXPEDIÇÃO EM SEGREDO, MAS FOI IMPOSSÍVEL ESCONDER OS 26 NAVIOS TRIPULADOS POR 3.330 HOMENS.

Se foi o menos importante das quatro gerações dos Sá, foi o mais carioca – a começar porque nasceu no Rio de Janeiro, em 1575 –, o primeiro governador nascido na cidade, e único durante muito tempo. Na Espanha, onde se educou, casou com Maria de Mendoça e Benevides, filha do governador de Cádiz. Foi governador em dois períodos: entre 1602 e 1608 e, depois, entre 1623 e sua morte, em agosto de 1632. D. Maria morreu bem antes, em 1615. Juntos, tiveram dois filhos: Cecília e Salvador Corrêa de Sá e Benevides – Salvador, o moço, que carregava o nome do avô.

Em toda a literatura do tempo, escrita por Martim ou sobre ele, nada é tão fascinante quanto a carta que escreveu à Câmara em 1624 – "esta cidade pelos Sás ganhada, não é bem que em tempo dum Sá se perca". Ela faz lembrar o discurso de Marco Antônio no Júlio César de William Shakespeare. Na peça, encenada pela primeira vez 25 anos antes, Marco Antônio, o corpo morto de César aos braços, precisa virar os ânimos da população contra os assassinos de quem quase foi imperador. Num discurso habilíssimo, um ensaio shakespeariano sobre a demagogia na política, o general romano refere-se a "Brutos e os outros" sempre como os "homens honrados que são", mas que parecem ter cometido um pequeno engano – e jamais disfarça a ironia embalada em raiva e lágrimas. É bastante improvável que Martim de Sá tenha assistido a qualquer peça de Shakespeare, mas os ecos persistem. Está lá a mesma gana de Marco Antônio, a mesma escolha de palavras para designar "os homens honrados" da Câmara, a ironia que realça suas preocupações mesquinhas conforme a ameaça holandesa paira.

Marco Antônio é o político mais hábil que Shakespeare descreveu. E assim, como um político particularmente hábil, melhor se descreve Martim Corrêa de Sá.

MUI LEAL E HEROICA

A caravela trazendo o padre Manuel Fernandes rompeu a barra da Guanabara na tarde de 10 de março de 1641. Vinha da Bahia. Levando consigo a carta enviada pelo governador-geral, o marquês de Montalvão, o jesuíta desceu ao mar e num bote veio à terra. Aí despachou os que o trouxeram à praia de volta. Com exceção dele, todos tinham ordens explícitas de continuar no navio. Em hipótese alguma a notícia que traziam poderia se espalhar.

Deve ter sido no colégio dos Jesuítas, no alto do Castelo, que o governador Salvador Corrêa de Sá e Benevides, filho de Martim, neto do velho Salvador, leu a carta. Sentiu-se perdido. Pediu um tempo para decidir. "Vossa mercê veja o que faz", disse-lhe o padre, "porque se expõe a grande risco."[1] Salvador sabia disso. Pensou em suas vastas terras no Paraguai, nas propriedades que tinha na Espanha. Ou então em seu cargo, seu prestígio. Precisava optar e toda sua vida estava em risco. Toda história construída por

[1] BOXER, Charles R. *Salvador de Sá and the Struggle for Brazil and Angola — 1602-1686.*

sua família até ali, em risco. O mundo no qual fora criado repentinamente se desmanchou.

Se não leu a carta no colégio, foi para lá que se dirigiu de presto. Ao seu redor, os velhos padres da Companhia, aliados de sua família desde sempre, esperavam uma decisão. Salvador pediu que chamassem o sargento-mor da guarda, Antonio Ortiz de Mendoça. Queria que ele saísse pela cidade batendo na porta de cada um dos membros da Câmara, que chamasse os prelados de São Bento, Santo Antônio e do Carmo, os principais oficiais militares e os homens mais importantes todos. Não houve convite escrito – era uma questão de pressa, sem tempo para formalidades. Que viessem ao Colégio o quanto antes, receberiam as explicações devidas ao chegar. E então esperou.

A cada um que foi chegando, Salvador pegou-lhe pelo braço. Houve uma mudança política em Lisboa, ele explicou. O duque de Bragança assumiu o trono renunciando ao jugo espanhol. A união ibérica acabou. Portugal está independente. D. João IV pede fidelidade à colônia. A Bahia já aderiu, recomenda que façamos o mesmo. Aí Salvador pedia a opinião, ouvia com cautela, e orientava o recém-chegado a se juntar aos outros na sala da biblioteca do colégio. Ninguém devia sair antes que houvesse uma decisão. O governador só se juntou ao grupo quando tinha ouvido à parte a opinião de todos.

Para o grupo reunido, explicou que preferia, e ficou registrado em ata, "errar com os pareceres dos presentes do que acertar com o seu".[2] O vereador mais velho levantou--se. "Pois eu dou muitas graças ao céu de nos vermos resgatados do pesado jugo e tirana sujeição pela qual padecemos tantos anos na vassalagem de um rei estranho." Todos concordavam – foi a vez de Salvador levantar-se: "Viva El-Rei dom João IV de Portugal!"

Assinaram um auto de reconhecimento do novo rei e deixaram juntos o colégio, em procissão, até a igreja da Sé, ali ao lado no topo do morro, o ambiente descontraído após a tensão. O povo ia se aproximando curioso e recebendo a notícia. Perante o altar, Salvador, primeiro, e depois todas as autoridades juraram obediência a d. João. A notícia espalhou-se, as pessoas vinham à rua, acendiam velas nas janelas de suas casas. O Rio iluminou-se. Gritaram vivas pelas ruas noite adentro.

Ainda havia muito o que fazer – e rápido. No dia seguinte, 11 de março, Salvador preparou uma série de cartas e despachou-as numa canoa ao sul para que as câmaras de São Vicente, Santos e São Paulo fossem informadas. No dia 12, fez partir uma caravela direto para Lisboa, comunicando ao rei a conversão da cidade, e outra para a Bahia, informando ao governador-geral que o Rio o havia acompanhado. Mas, à boca miúda, nasceu pela cidade um desconforto. Afinal, as notícias vieram da Bahia, não de Portugal. E se o golpe, a essa altura, tivesse sido frustrado pelos soldados espanhóis? Já fazia meses, a notícia tinha demorado a chegar. Salvador teria se precipitado? Não havia o que fazer – agora, era esperar.

---

[2] FAZENDA, José Vieira. *Antiqualhas e memórias do Rio de Janeiro,* vol. 1.

Salvador Corrêa de Sá e Benevides estava em São Bento, assistindo à missa, quando recebeu, no dia 19 de março, uma carta do próprio d. João IV comunicando oficialmente sua posse. Foi o momento do alívio. Com o rompimento da união ibérica, o governador do Rio havia perdido suas terras e as da mulher na Espanha e no Império Espanhol. Mas ganhava sobrevida política. Agora era ousar: com a certeza da situação em Portugal, mandou nova correspondência no dia 22. Para Buenos Aires.[3] Mendo de la Cueva y Benevides tinha acabado de deixar o governo, mas seu irmão Bernardo ainda estava na chefia militar. Eram todos primos. Salvador sugeria que rompessem com o Vice-Reino do Peru e se bandeassem para o lado português. Buenos Aires precisava do mercado carioca para sobreviver, afinal.

Mas não aconteceu. O cabildo buenoairino quase seguiu com o Rio – mas hesitou. Teria sido um triunfo político e tanto.

Cartas enviadas, veio a festa. Salvador era filho de mãe espanhola e casado com espanhola. Ele próprio tinha nascido na Espanha. Era querido pelo rei espanhol. Precisava de um símbolo, de algo exagerado que demonstrasse sua nova fidelidade. De uma festa como jamais houve no Brasil e o domingo de Páscoa que se aproximava, o do dia 31, pareceu-lhe ideal. Naquela noite, mais de uma centena de homens montados a cavalo com longos mantos brancos, o governador entre eles, percorreram toda a cidade com

[3] BOXER, Charles R. op cit.

tochas, seguidos por dois carros alegóricos – os primeiros da história carioca – ornados com sedas, ramos, flores e música, muita música. Foi só a abertura. Nos dias seguintes, o carnaval envolveu simulação de batalhas, salvas de tiros de canhão, mosquete e flechas, touradas, jogos de argolas. O ponto alto seria uma peça de teatro, uma comédia para a qual se armou um palco no largo da Polé, atual praça XV. Mas choveu na sexta-feira. Salvador não teve dúvidas: convocou os atores para sua casa, ali perto, e convidou toda a população que entulhou a sala, pendurou-se pelas janelas, para assistir às cenas.

O primeiro carnaval do Rio cumpriu com seus objetivos. Informado, d. João IV concedeu aos homens bons do Rio os privilégios dos cidadãos do Porto. Nenhuma outra cidade no Brasil tinha tal graça. Os homens passaram a poder andar armados, teriam direito a prisão especial, seus criados ficaram isentos de participar de guerras. Em 1647, ainda por conta da fidelidade demonstrada no momento da posse, o Rio de Janeiro ganhou título de nobreza e mudou de nome.

A "mui leal e heroica" cidade de São Sebastião do Rio de Janeiro nasceu.

Foi noutro 11 de março, 16 anos antes, que Salvador Corrêa de Sá e Benevides teve a primeira oportunidade de mostrar do que era feito. Seu pai Martim era o governador do Rio, e os holandeses haviam tomado a capital baiana.

Liderando duas caravelas e 82 canoas tupis, Salvador seguia para reunir-se discreto à frota de libertação. Tinha 23 anos. Na altura do Espírito Santo, seu caminho foi interrompido por quatro navios bem armados. Eram holandeses. Estavam sob o comando de Piet Heyn, o mesmo almirante que havia acabado de tomar a baía de Todos os Santos. Um dos melhores marinheiros e soldados de seu país.

EM 1647, AINDA POR CONTA DA FIDELIDADE DEMONSTRADA NO MOMENTO DA POSSE, O RIO GANHOU TÍTULO DE NOBREZA E MUDOU DE NOME. A "MUI LEAL E HEROICA" CIDADE DE SÃO SEBASTIÃO DO RIO DE JANEIRO NASCEU.

O filho de Martim desceu seus homens em terra com os poucos canhões que tinham. Ficaram encarando-se, brasileiros e holandeses. Aí Salvador deu ordem de bala. Um só tiro, um balaço de canhão em cheio num dos mastros do navio de Heyn. O comandante tirou o corpo, mas perdeu homens. Atônito, deu ordem de retirada. Ao perceber o movimento, Salvador lançou ao mar suas canoas em perseguição, um momento de surrealismo. Os marinheiros holandeses entraram em pânico e os cariocas tomaram um dos navios à canoa. Flechado no braço, Heyn escapou com o que lhe sobrava.[4]

Apesar do feito, quando chegou à Bahia atrasado, a cidade já retomada, os comandantes portugueses fizeram graça daquele reforço de canoas e índios flecheiros liderados por

[4] BOXER, Charles R. op. cit.

um garoto. E assim que Salvador seria por toda a vida: um estrategista militar excepcional, bem melhor do que pai ou avô jamais foram, mas, como o pai e o avô, capaz de confiar mais numa boa tropa de tupis do que em soldados europeus.

Era um homem ambicioso, também. Nos anos seguintes, aconselhado pelo padre jesuíta João d'Almeida, deixou o Rio para o Paraguai, onde o marido de sua prima era governador. Fez a viagem à paulista: numa bandeira, pelo meio do mato, seguindo trilha tupi. Lá, casou com doña Catalina Ugarte y Velasco, filha e neta de dois dos principais desbravadores da América Espanhola, gente com as melhores relações na corte de Madri. E um bocado por conta disso, mas também pela capacidade militar, Salvador foi posto a cargo de pacificar os vários grupos indígenas em levante contra a Espanha. Sua mulher, doña Catalina, era viúva e tinha uma farta herança. Salvador deixou o Paraguai rico e carregado de honras militares. Quando voltou para a cidade natal de seu pai, foi para assumir o cargo que pertencia à família: o governo.

Mas, no Paraguai, conhecendo a estrutura do poder espanhol, tinha aprendido a ir além. O governo do Rio lhe interessava, por certo, mas não seria seu limite. Mais do que qualquer um da família, Salvador Corrêa de Sá e Benevides sempre veria o Rio como um feudo pessoal, um trampolim para ambições maiores. E, por tratar-se de feudo, achou muito natural pressionar a Câmara da cidade a conceder-lhe o monopólio da pesagem na Alfândega. Todo o açúcar que saísse do Rio seria pesado em suas balanças. Como a cidade não tinha dinheiro para erguer um armazém que ficasse próximo à pesagem, ao lado do porto, Salvador tratou de adquirir também essa concessão. Toda a exportação estava em suas mãos.

Tinha bigode fino e cavanhaque à moda do tempo dos mosqueteiros, mancava de uma das pernas por conta de ferimento malcurado adquirido em batalha no Paraguai, era nepotista. Em todos os principais cargos da cidade estiveram tios, primos e, mais tarde, filhos. Mais de uma vez gente da Câmara reclamou de que era corrupto. O historiador britânico Charles Boxer, um de seus biógrafos, acha difícil. Tratava-se de um homem muito rico. Mas, certamente, a Câmara tinha motivos de queixa. Tinha quase nenhum poder perante um homem tão bem-relacionado e tão mais hábil politicamente.

Mostra disso é sua atuação quando soube da chegada da Casa de Bragança ao trono português. O gesto ligeiro de puxar os homens de poder da cidade pelo braço numa caminhada, de perguntar-lhes a opinião, de massagear-lhes o ego dizendo que preferia errar com eles a acertar discordando, tudo parece a ação de quem lera o manual de política do cardeal Giulio Mazzarino. O jeito moderno de fazer política que estava nascendo ali naquela época. Mas, em 1641, ainda estava no comando da política francesa Armand Jean Du Plessis, o cardeal Richelieu a quem Mazzarino sucederia. Ambos, Salvador e Mazzarino, nasceram no mesmo ano de 1602. E, para ambos, a habilidade política era um talento de todo natural. Quase que intuitivo.

A diferença é que, enquanto Mazzarino esteve desde jovem no meio da corte, Salvador lutava para crescer vindo da periferia. A seu favor, além do talento, tinha o fato de conhecer a colônia americana profundamente, como nenhum burocrata vindo de Lisboa seria capaz. Porém, jogavam contra ele as intensas mudanças políticas europeias do tempo, repentinas, instáveis, mudanças que ocorriam sempre a distância.

Quando uma delegação de nobres visitou-o em Vila Viçosa no final de 1640, o duque de Bragança ainda hesitava em assumir o trono português. Poucos meses antes, insuflada pela França, a Catalunha havia se levantado em revolta contra d. Felipe IV, rei espanhol. Assim como Richelieu comandava o governo no lugar do rei Luís XIII, na Espanha o conde-duque de Olivares era quem se ocupava da administração em nome do rei espanhol. Foi Olivares quem decidiu convocar os portugueses para que controlassem o levante catalão. Atravessar a Espanha para dominar um levante no outro lado não estava nos planos da nobreza lusa. A única saída era a independência após 60 anos de união. Para o duque de Bragança, deixaram claro: era ele no trono ou uma república de nobres. Virou d. João IV.

Mas a independência não seria nada fácil para Portugal. Afinal, embora tivesse um império colonial impressionante, após os 60 "anos de cativeiro", seu poder militar era ridículo. E dinheiro não havia. O que permitia arriscar um projeto de independência era o fato de que a Espanha estava envolvida em guerras demais. Por ironia, a mesma Holanda que impunha maiores riscos às colônias portuguesas – e que ocupava Pernambuco desde 1630 – foi quem financiou a luta portuguesa contra a Espanha.

Esta é uma longa história iniciada em 1568, quando o Rio ainda era uma igreja, umas casinhas de sapê e quase nada mais. Com a morte de Carlos V, seu império foi dividido entre o filho, Felipe II da Espanha, e o irmão, Ferdinando I, do Sacro Império Romano. Mas um aglomerado de ducados, bispados e condados medievais que ficaram no território de Felipe decidiu pela independência sob o comando de Willem van Orange, que entrou para a história como Guilherme, o Taciturno. Reunidos, parte destes países baixos formaram as Províncias Unidas, ocupando mais ou menos o território onde hoje é a Holanda.

Não devia ter sido, para Felipe II, uma revolta difícil de pôr abaixo, mas, nem durante o comando de Guilherme e nem depois, quando a Holanda estava nas mãos de seu filho, Maurício de Nassau, ele conseguiu. Ainda antes do início do século XVII, a rainha Elizabeth I da Inglaterra enviou ajuda aos protestantes holandeses. Em resposta, Felipe mandou a Armada Espanhola invadir a Grã Bretanha. A Espanha era a maior potência europeia. Mas a Armada perdeu a batalha num espetáculo onde a arrogância venceu a estratégia, momento celebrado até hoje pela história britânica. Não bastasse, quando o protestante Henrique de Bourbon chegou ao trono francês assumindo como Henrique IV, repentinamente os espanhóis tinham um terceiro inimigo com que lidar. Era intricada, cheia de meandros e traições, a política europeia de então. Não é à toa que rendeu tantos romances de capa e espada.

No caso da Espanha, parecia ser um bocado como um gato lidando com ratos – mas eram muitos ratos ao mesmo tempo com os quais brigar. Particularmente no caso francês, não é nem possível falar em rato; era, sim, uma ratazana que estava no comando. Henrique IV da França converteu-se ao catolicismo, o que trouxe alguma paz com a Espanha católica. Mas, após sua morte, seu filho Luís XIII era jovem demais para o trono e o cardeal Richelieu assumiu a regência para nunca mais largá-la de fato. Aconteceu de Richelieu, um cardeal católico, achar que a briga com o Império vizinho era uma boa ideia. Teria de aliar-se com países protestantes, é verdade. Mas não via escolha: os Habsburgos, família de Carlos V, estavam de um lado, na Áustria do Sacro Império, e no outro, na Espanha. Conter seu poder era garantir a sobrevivência da França espremida.

Nesse meio-tempo, a Holanda enriquecia a olhos vistos. Desde que Portugal perdeu dom Sebastião e juntou-se à Espanha, os portos de Lisboa estavam fechados aos holandeses. O resultado é que, para manterem o fluxo de especiarias da Ásia, os holandeses tiveram de ir ao mar eles mesmos. Tomaram gosto pela coisa, sofisticaram-se. Ganharam experiência rápido. Construíram navios mais rápidos, embora menores, do que aqueles que garantiram a portugueses e espanhóis os descobrimentos. Tinham o vale do Silício de então com a melhor tecnologia naval.

Desde 1625, os holandeses possuíam uma colônia na América do Norte, Nova Amsterdã, que daria origem a Nova York. Desde 1630, tinham outra na América do Sul, Pernambuco. E, aproveitando-se dos desarranjos portugueses pós-independência, a partir de 1641 tinham também uma colônia na África para fornecimento de escravos: Angola, antes portuguesa, fornecedora de escravos para o Rio.

O negócio holandês era bem gerenciado e rentável. Seus ágeis navios comandados por almirantes hábeis também se dedicavam ao corso, aos saques do que pertencia à Espanha. Em 1628, Piet Heyn – que pouco antes havia sofrido uma derrota humilhante para os índios de Salvador Corrêa de Sá e Benevides – conseguiu o prêmio máximo: capturou, próximo a Cuba, a Frota do Tesouro Espanhola, com todo o ouro e a prata que seguiria aquele ano para a metrópole. O almirante que perdeu o dinheiro terminou decapitado. Madri quebrou e o país foi lançando numa das mais sérias crises econômicas do século. A poderosa Espanha estava abalada.

Em 1640, a Espanha simplesmente terminou deixando que Portugal seguisse independente. Não porque queria, mas porque, com dívidas demais e ocupada em guerras com quase todos os vizinhos, não tinha escolha. Nesse mundo político no qual Portugal começava a entrar sozinho, Salvador e o Rio seriam fundamentais. E Salvador, com ampla visão geopolítica, sabia disso.

A repentina aclamação de d. João IV não foi a única crise com a qual Salvador Benevides teve de lidar em seu primeiro mandato no governo do Rio. Ao longo das décadas, a disputa entre jesuítas e cidadãos das capitanias do sul a respeito do destino dos índios se agravou. Não era um problema que envolvesse apenas cariocas e paulistas – era um problema também na América Espanhola, em todo Cone Sul até o Paraguai. Os padres de preto queriam mantê-los em aldeias controladas, onde ensinavam a catequese e os modos europeus; os cidadãos os queriam escravos.

É o tipo da questão na qual a história não encontrou consenso. Portugueses e espanhóis, nas Américas, consideravam trabalho manual degradante. Os índios, fossem tupis, fossem guaranis, eram os escravos à mão, imensamente mais baratos do que os importados da África. E as colônias do sul brasileiro eram bem mais pobres do que as do nordeste. O povo não tinha dinheiro para escravo importado.

Por outro lado, se é verdade que os jesuítas queriam educar e proteger os índios dos maus-tratos, também é fato que os consideraram inferiores. Índios adultos eram tratados como crianças. Não lhes ocorria que, educados, pudessem virar padres ou exercer outras funções nobres. Eram gente inferior, criaturas de Deus a serem protegidas. E, de certa forma, eram escravos exclusivos, já que sua liberdade protegida servia para trabalhar nas fazendas jesuítas.

Paradoxalmente, os bandeirantes que os escravizavam os viam como homens e como mulheres. Os cidadãos brancos casavam-se com elas, tinham filhos mestiços que reconheciam e para quem deixavam herança. Não fosse a escravidão indígena, Rio e São Paulo jamais teriam sido o que são: cidades que nasceram mestiças, tanto portuguesas quanto tupis.

O padre Francisco Diaz Taño chegou à Guanabara na noite de 15 de abril, em 1640, vindo de Madri, meses antes do golpe que romperia a união ibérica. No porto, foi recebido com honras por Salvador, que à luz de tochas e salvas de mosquete o acompanhou morro acima, até o colégio dos Jesuítas. Por conta das correntes marítimas, Taño só poderia embarcar para Buenos Aires, seu destino final, em outubro. Mas tinha pressa. Consigo, trazia ordens de Felipe IV para que os governadores nas colônias espanhola e portuguesa dessem todo o apoio aos jesuítas. Não bastasse, havia também uma ordem do papa Urbano VIII, que reafirmava a liberdade dos ameríndios.

Acontece que em parte do acordo que uniu Portugal e Espanha sob um mesmo rei, estava prevista a autonomia lusa. E isso queria dizer a manutenção do português como língua oficial. Com a burocracia que cabe, nenhuma ordem de Felipe IV teria qualquer valor antes de traduzida oficialmente pelas Cortes, em Lisboa. E isso custava um tempo. Taño, ao deixar a Europa com pressa, não esperou pela versão portuguesa. Ainda assim, numa reunião tensa no colégio onde apenas Salvador não era padre entre os presentes, decidiu-se pela "publicação" dos desejos de El-Rei, e uma cópia do decreto foi posta na mão do administrador eclesiástico Pedro Homem Albernaz.

Publicação ainda não queria dizer imprimir: era tornar público, ler no púlpito da Igreja, onde parte da vida oficial se dava. Albernaz fez com que o decreto fosse encaminhado para Santos, São Paulo e São Vicente, mas evitou a oficialização no Rio. O seu não era um cargo fácil. Um de seus antecessores, o prelado Aborim, havia sido assassinado. Outro, quase. Mas, diferentemente de seus antecessores, Albernaz era homem da cidade.[5] Nasceu no Açores e seus pais, Aleixo Manuel e Francisca da Costa, estavam entre os primeiros cidadãos do Rio. A casa onde Albernaz se criou era uma das mais ricas no tempo da fundação, uma das primeiras que não ficavam no morro do Castelo. Ele tinha uma boa ideia do que aconteceria no momento em que o desejo real fosse tornado público.

Só que uma notícia já divulgada para as outras cidades ao sul não ficaria em segredo por muito mais – e vazou. Em 4 de maio, durante uma reunião tensa, que excluiu o governador e os padres da Companhia, mas incluiu todas as outras ordens religiosas e o próprio Albernaz, os homens bons exigiram que apresentasse o papel sobre o qual se falava em toda a cidade. Ao ler o documento, compreendendo que não havia base legal por não ter sido oficializado em Lisboa, exasperaram-se. Os jesuítas foram proibidos de pôr em prática a ordem naqueles termos.

[5] AZEVEDO, Manuel Duarte Moreira de. *O Rio de Janeiro*.

E, no entanto, quando o povo se reuniu para ouvir a missa na manhã do domingo, 20 de maio, na Igreja dos Padres da Companhia, ouviu do padre que a rezava o decreto. Estava oficializado.

Uma semana antes, o mesmo anúncio tinha provocado um acesso de fúria popular em Santos. Não foi diferente no Rio de Janeiro. O povo se encontrou nas ruas, ânimos inflamados, e a multidão tomou a direção das ladeiras que levavam Castelo acima. "Mata! Mata!", gritavam. Com machados, puseram abaixo a porta, invadiram o colégio. "Bota fora, bota fora da terra os padres da Companhia!"[6] Cercados perante a turba em fúria, os padres não contribuíram para arrefecer os ânimos. Um se levantou e disse, em voz alta, que todos ali deviam ser gratos pela libertação dos índios, já que isso queria dizer "liberdade para suas mulheres, liberdade para suas mães".

Insulto unido à injúria.

Salvador estava doente em casa, tinha febre. Nos dias anteriores, havia recebido a visita do "barbeiro de cortina" – o médico que aplicava as bichas, os sanguessugas. Tendo sido sangrado, estava fraco. Mas a multidão teve de passar pela porta de sua casa no caminho para o morro – e, balançando em uma rede, foi levado por escravos morro acima. O governador acalmou a turba, que conseguiu a suspensão do decreto. No dia seguinte, um dos líderes revoltosos foi levado ao largo da Polé e açoitado.[7]

[6] BOXER, Charles R. op. cit.

[7] Atual praça XV.

Só um. Pró-forma.

Enquanto o pobre era açoitado, Salvador reuniu-se no colégio com os homens bons da cidade, o vigário-geral dos jesuítas no Brasil, o padre Taño, Albernaz, mais líderes dos beneditinos, carmelitas e franciscanos. O administrador eclesiástico anulou formalmente o decreto, mas os jesuítas não queriam voltar atrás. O colégio tinha sido cercado por 500 soldados para protegê-lo, ordens de Salvador. Mas a revolta popular continuava a sentir-se no ar. Se uma segunda rodada fosse permitida, terminaria em linchamento.

Em Santos, por iniciativa dos carmelitas e franciscanos, o decreto papal tinha sido anulado e os jesuítas, expulsos. Eram rivais as ordens todas – e todas, unidas, se ressentiam do bom relacionamento entre Coroa e Companhia de Jesus. Em São Paulo, capital bandeirante da escravatura índia, a reação foi surpreendente. Cautelosos, os jesuítas só publicaram o decreto em junho, tendo em mãos, já, a tradução oficial. Os paulistas não se levantaram como os de Santos e do Rio. Esperaram, reuniram-se: dois dias de deliberações na Câmara, aí decidiram pela expulsão dos padres pura e simplesmente. Do Rio, Salvador Benevides ameaçou invadir a cidade com tropas para devolver aos jesuítas seu colégio, lá. Mas não tinha como. A trilha que levava ao planalto era estreita, "um só caminho capaz de um só homem", como a descreveria o padre Antônio Vieira, e muito pouca gente bastava para impedir a passagem de um batalhão. Expulsos foram em junho de 1640, e expulsos ficaram.[8]

[8] BOXER, Charles R. op. cit.

Durante todo esse período, paulistas e cariocas trocaram cartas com intensidade, e de certo ajudou na tomada de decisão dos paulistas a promessa carioca de que, se os expulsassem lá, também do Rio seriam expulsos. Mas não aconteceu. Ali no colégio, ainda na reunião de 21 de maio, os cariocas acusaram os jesuítas de terem eles próprios escravos, 600 no total. Os padres responderam que era diferente, que os seus eram quase todos negros. Fizeram mais: acusaram os cariocas de não serem cristãos de verdade; de serem "talmudistas". Judeus. Falaram duro, os padres de preto. Mas, sem escolha, cederam. Perdoaram os revoltados, comprometeram-se a não mexer nos escravos índios de ninguém, e em troca os cidadãos não os expulsaram. No Rio, o colégio permaneceu nas mãos dos padres da Companhia.

EM 1640, A ESPANHA TERMINOU DEIXANDO QUE PORTUGAL SEGUISSE INDEPENDENTE. NÃO PORQUE QUERIA, MAS PORQUE, COM DÍVIDAS DEMAIS E OCUPADA EM GUERRAS COM QUASE TODOS OS VIZINHOS, NÃO TINHA ESCOLHA.

No futuro, a quebra da promessa de cariocas a paulistas teria seu preço.

São Paulo não cedeu. Os de lá deram de organizar uma bandeira de grandes proporções, que andaria mata adentro até o Paraguai para atacar as Reducciones. No Rio, por sua vez, o padre Taño rumou a Buenos Aires, de onde tentou por carta alertar seus irmãos no interior: os paulistas estavam vindo. Não houve tempo. Armados com mosquetes, em março de 1641, os guaranis e os jesuítas da Reducción de Mboré impuseram aos bandeirantes uma das derrotas mais humilhantes de sua história. Foi com fogo, não com leis, que os jesuítas conseguiram pôr fim às grandes bandeiras. Expedições – e mesmo o conflito pela escravatura – continuaram século XVIII adentro, mas nunca mais em grande escala.

Um dos vereadores presentes nas várias reuniões cariocas era Balthazar Cardoso, capitão de milícia, sobrinho-neto do prelado Pedro Homem Albernaz.[9] Uma vez, em 1635, Balthazar foi picado por uma cobra enquanto passeava em sua fazenda. Ficou gravemente doente, fez promessa. Quando sarou, pôs na igrejinha que ficava no morro mais alto de sua propriedade uma imagem de Nossa Senhora da Penha.[10] Ainda está lá, e até hoje pessoas sobem morro acima pagando promessas.

No Rio do seiscentismo, acordava-se não com os galos mas com o badalo dos sinos. E ao longo do dia eram os sinos que batiam o ritmo das horas passadas. Milagres não eram cotidianos, mas faziam parte da vida. A cura de

[9] FAZENDA, José Vieira. op. cit., vol. 4.

[10] GERSON, Brasil. *História das ruas do Rio.*

uma picada de cobra, graça de Deus por intermédio de Nossa Senhora; o sobreviver em alto-mar a uma tempestade virulenta, também. Antônio Martins de Palma jurou que ergueria uma igreja onde for que seu pé encontrasse terra novamente, se encontrasse. Ergueu a primeira Candelária, no mesmo lugar onde se encontra sua portentosa versão atual.[11] Em 1630, ela virou sede da segunda paróquia. Uma cidade não tinha bairros, tinha paróquias – e era a Igreja que decidia quando a vila tinha tamanho suficiente para ser dividida em duas, três, quantas fossem as paróquias.

Em 1639, uns cariocas reunidos na Igreja da Misericórdia viram juntos Nossa Senhora descer do céu. O milagre atribuiu-se a Nossa Senhora do Bonsucesso e, quando veio a seca no mesmo ano, lembrando-se da aparição acudiram novamente à Misericórdia para pedir a graça, e chuva veio.[12]

A esquizofrenia estava sempre ali – os padres, como homens de Deus, eram seu contato com o que há de divino e precioso na existência, mas, como políticos, eram frequentemente inimigos. E não tinham, os cariocas, ou paulistas, ou quem fosse, qualquer dificuldade de lidar com a incoerência – havia os padres que estavam de fato em contato com Deus; e havia os que eram políticos.

O jesuíta João d'Almeida pertencia ao primeiro grupo.

---

[11] FAZENDA, José Vieira. op. cit., vol. 1.

[12] FAZENDA, José Vieira. op. cit., vol. 4.

De nascença, era inglês, chamava-se John Martin e fora raptado criança por um comerciante português que, um dia, o trouxe ao Rio e o deixou nas mãos dos padres do colégio.[13] Foi criado por Anchieta velho que se sentava à cadeira em busca de descanso enquanto João garoto lavava-lhe os pés. Crescido, o padre João foi um atormentado. Autoflagelava-se com a chibata, punha grãos de milho nas sandálias enquanto andava, fazia jejum segundas, sextas e sábados, não trocava de camisa mais que uma vez por semana, mesmo nos 40 graus do verão carioca. Com o sofrimento, procurava expurgar suas culpas – viveu até os 82 anos.

Um fanático, talvez, mas que todos consideravam estar um quê mais próximo de Deus do que qualquer outro. Tinha premonições. Quando Salvador teve dúvidas se devia ir ao Paraguai ou não acompanhar a prima, foi porque o padre João sugeriu que fosse.[14] De outra feita, o padre Simão Vasconcellos, autor da primeira história dos jesuítas no Brasil, estava doente no colégio e pediu ao padre João que rezasse por ele.[15] "Tenha vossa reverência fé que lhe hei de fazer uma medicina com que se há de achar bom", disse o milagreiro. Aí, sozinho, deixou o morro em direção a Santa Teresa, onde havia uma igrejinha deserta.[16] Rezou lá por horas a fio e, quando voltou, tornou ao quarto do

[13] KIDDER, Daniel P. *Reminiscências de viagens e permanência no Brasil.*

[14] BOXER, Charles R. op. cit.

[15] FAZENDA, José Vieira. op. cit., vol. 4.

[16] O morro de Santa Teresa, na época, chamava-se do Desterro.

padre Simão. "Vossa Reverência está bom, vista-se", e assim foi, como não poderia deixar de ter sido.

O prelado Albernaz, filho de Aleixo Manuel, tio-avô do vereador Balthazar, sabia que seu cargo era particularmente antipático. Ele foi o primeiro administrador eclesiástico escolhido pelo povo, quando seu antecessor, cansado, renunciou e voltou a Lisboa.[17] Mais tarde, quando seu sucessor também voltou à Europa, este fugido, Albernaz tornou ao cargo. E um dia desistiu ele mesmo, foi ao colégio e terminou a vida um jesuíta recluso.

Entre as duas administrações de Albernaz, o comando eclesiástico esteve a cargo de d. Lourenço de Mendonça. Não estava há uma semana no Rio quando alguém jogou pela janela de seu quarto um barril de pólvora. Sobreviveu à explosão por sorte. Quando chegou ao Rio, era um cinquentão rigoroso com experiência na Índia e, mais recentemente, no Peru. Estava ao lado dos jesuítas na questão indígena, não se conformava que às vezes deixavam os escravos índios morrerem de fome sem ao menos batizar.[18] E gostava de mexer em outras questões caras à vida na colônia. Foi o caso quando forçou o embarque de volta à metrópole de 26 homens que tinham suas mulheres em Portugal, mas que há anos viviam longe, na festa brasileira, traficando no eixo Angola, Rio, Buenos Aires.

Por qualquer motivo que fosse, e como d. Lourenço sobrevivera à explosão, a turba em fúria o pegou, pôs num

---

[17] AZEVEDO, Manuel Duarte Moreira de. op. cit.

[18] FAZENDA, José Vieira. op. cit., vol. 1.

barco sem qualquer equipamento e o despachou para alto--mar. (A turba em fúria ficava atacada de vez em quando no Rio desses tempos.) Deu um tempo e o barquinho voltou à terra. Entre seus piores inimigos estava o padre Manuel da Nóbrega, o mesmo que já não tinha se dado bem com o prelado Aborim anos antes. Não era o único. D. Lourenço foi excomungado pelo ouvidor da cidade, mas simplesmente o ignorou. Uma manhã, com um cheiro ruim dentro de casa, descobriu sua porta suja do pior tipo de excremento. Tanto insistiram os cariocas que, por fim, conseguiram livrar-se de d. Lourenço, acusando-o de um dos piores crimes que podia haver.

Trabalhava com d. Lourenço um rapaz chamado Tomé, de 14 anos. No dia 2 de janeiro, em 1637, o rapaz foi preso, torturaram-no até que confessasse. O prelado era acusado de "atos contra a natureza". O garoto Tomé foi embarcado para Lisboa onde, perante o tribunal do Santo Ofício, repetiu as acusações. Com o clima pesado na cidade, d. Lourenço fugiu de volta para defender-se perante os superiores. Pediu aos juízes que trouxessem um médico, levantou a batina. D. Lourenço era castrado desde jovem – não podia ter feito nada.[19] Foi absolvido – e mais: sua majestade Felipe IV pediu ao Vaticano que alçasse a prelazia do Rio à condição de bispado e sagrasse d. Lourenço o primeiro bispo carioca. O título saiu em fins de 1639, mas, quando ele estava finalmente pronto para retornar, o Rio já era português e qualquer ordem da coroa espanhola perdera o

[19] FAZENDA, José Vieira. op. cit., vol. 1.

valor. Terminou seus dias arcebispo de Toledo. E, assim, São Sebastião do Rio de Janeiro ainda demoraria um tempo até mudar seu status episcopal.

Em janeiro de 1649, o poetastro inglês Richard Flecknoe chegou ao Rio de Janeiro como turista. "Ao desembarcar", ele escreveu, "descobri que os padres da Companhia tinham providenciado minhas acomodações, disponibilizando dois negros para me servirem e mandado preparar, nas cozinhas da sua residência, a minha dieta. Por dinheiro algum eu ficaria tão bem-instalado, ainda porque a cidade não conta nem com albergues, nem com hospedarias."[20] O seu é o depoimento com mais detalhes a respeito do Rio nos tempos de Salvador Corrêa de Sá e Benevides.

"A cidade está situada numa planície de algumas milhas de comprimento, limitada nas suas extremidades por duas montanhas. Próximos ao mar, na saída do lago, estão instalados os jesuítas; no extremo oposto, os beneditinos. A cidade antiga, como testemunham as ruínas das casas e a igreja grande, fora construída sobre um morro. Contudo, as exigências do comércio e do transporte de mercadorias fizeram com que ela fosse gradativamente transferida para a planície. Os edifícios são pouco elevados e as ruas, três ou quatro apenas, todas orientadas para o mar. A uma ou duas milhas da cidade estende-se uma grande

[20] FRANÇA, Jean Marcel Carvalho. *Visões do Rio de Janeiro colonial.*

planície cuja vegetação ora é rasteira, ora florestal e ora campestre."

Era uma cidade pequena, ainda. Uma vilazinha.

EM 1649, FOI INSTAURADA A COMPANHIA GERAL DO COMÉRCIO DO BRASIL. O GRANDE PROMOTOR DA IDEIA FORA ANTÔNIO VIEIRA. O EMPREENDIMENTO FOI FINANCIADO COM O DINHEIRO DE JUDEUS, QUE VIEIRA TRATOU DE REINTEGRAR À SOCIEDADE [...]. CENTRALIZANDO A RELAÇÃO ERA MAIS FÁCIL CONTROLAR E PROTEGER OS NAVIOS CONTRA PIRATAS E CORSÁRIOS.

Na entrada da baía, onde a Guanabara comunica-se com o Atlântico, ficava um forte de cada lado. A cidade mesmo cresceu entre São Bento e o Castelo. Nas fraldas do Castelo estava a Santa Casa – e ainda está. Uns passos à frente, ficava, e fica, o prédio do convento do Carmo.[21] Desde a fundação, o mar já havia cedido espaço, e um terreiro se formou à sua frente. Em 1642, os carmelitas obtiveram da Câmara o uso desse terreiro mediante pagamento de aluguel e, em 1667, ficaram isentos da taxa e o receberam por doação.[22]

Quando haviam construído seu convento, os monges o fizeram de cara para a praia, de modo a permitir o respiro. Mas por conta do afastamento das águas tinham medo de que alguém erguesse prédios no terreiro, sufocando. Brigaram muito – na década de 1680, a Câmara quis o terreno de volta para construir casas de aluguel. No fim, os carme-

---

[21] Atual universidade Cândido Mendes.

[22] FAZENDA, José Vieira. op. cit., vol. 5.

litas venceram e, num trecho que era nobre da cidade, não houve qualquer construção. Até hoje: é a praça XV. Mas, na época, era o largo da Polé, porque desde 1626 ficava ali a polé, um tronco onde amarravam os condenados para o açoite, ou só para que ficassem presos às vistas de todos. Ali no largo, numa tenda, trabalhava o ferreiro da cidade.[23]

Ninguém planejou o crescimento do Rio para baixo do Castelo; aconteceu porque nos anos após a guerra contra índios e franceses a população aumentou e todos foram se sentindo mais seguros na terra nova. O primeiro bairro, se é que possa ser chamado assim, foi o da Misericórdia, nos arredores da Santa Casa, crescido de casinha em casinha ladeira abaixo até a praia, a praia da Piaçaba, que seguia mais ou menos o trajeto da atual avenida Beira Mar até onde está o Passeio Público, que era o Boqueirão, uma lagoa pantanosa. Foi ali, na Misericórdia, que ficava a casa de Martim de Sá e onde morou seu filho Salvador Benevides, quando jovem. Após algumas décadas, só se subia o morro do Castelo para ir ao colégio dos Jesuítas e, vez por outra, para a Igreja Matriz. O deserto, a solidão no cume do morro era tal que a Matriz foi saqueada de madrugada algumas vezes. Virou região perigosa à noite, escura, deserta.

Mas não demorou para que, ao redor do convento do Carmo, a cidade crescesse mais, sempre seguindo a praia, até São Bento. Uma das primeiras ruas foi a do Açougue, atual Quitanda, onde funcionava o matadouro que vendia,

[23] FAZENDA, José Vieira. op. cit., vol. 1.

uma vez alguém disse, uma carne que "na bondade e na gordura se parece com a de Entre Douro e Minho".[24] Não durou muito tempo ali, o açougue.

Em finais da década de 1630, finalmente transferiram o prédio da Câmara, que também era da cadeia, para baixo. O original do alto do Castelo, feito de taipa, era tão frágil que se prestava a fugas constantes. A nova cadeia era um prédio grande com grades grossas erguido sobre pilares à beira do mar. Numa das salas do andar térreo ocorriam as sessões da Câmara, noutra ficavam os presos comuns. No andar de cima, em 1645, foram construídas duas celas especiais para os nobres, uma masculina, outra feminina. Essa cadeira durou tantos anos que Tiradentes esteve preso lá antes da forca. A rua na qual foi erguida, que levava até o convento de Santo Antônio dos franciscanos, por muito tempo ficou sendo rua da Cadeia e, ainda na década de 60 do século XX, a região era conhecida como Calabouço. O prédio da Câmara e da Cadeia terminou demolido, e ali no mesmo local está a Assembleia Legislativa. Não se chama palácio Tiradentes à toa. A rua da Cadeia é a rua da Assembleia.

A rua principal era a Direita, que faz o percurso da Primeiro de Março, uma rua cheia de sobrados agradáveis onde os mais ricos viviam. Na esquina com a rua da Alfândega, numa das melhores casas, viveu adulto Salvador Benevides – uma casa que, depois que deixou o governo, tentou vender à Câmara para servir de residência oficial

[24] FAZENDA, José Vieira. op. cit., vol 5.

dos governadores. Quem acabou comprando a casa foi Antônio Telles Barreto, dono de vários imóveis na cidade, incluindo o futuro Arco do Telles, na praça XV.

Como cabe à casa de um bom português, todos estes mais ricos, quando os sinos batiam o meio-dia, sempre serviam uma mesa farta na qual comida sobrava. Comiam camarões, peixes da terra, porco, pato, ganso, marreco. De São Vicente, importavam o trigo com o qual faziam pão. As frutas eram abundantes, farinha de mandioca acompanhava tudo. O que faltava era aquilo importado do reino, que frequentemente não chegava em tempo de repor o estoque: bacalhau, azeite e vinho. Houve tempos em que, na missa, usaram vinho de mel: cachaça.

Se o Rio já era uma cidadezinha colonial que talvez lembrasse a Paraty atual, se estava crescendo, ainda persistia, com cada vez maior gravidade, o problema da falta d'água. Os moradores continuavam a mandar os escravos atrás de água pela manhã, no rio Carioca. A partir de 1648, os vereadores começaram a falar de alguma obra que trouxesse em calhas a água até a cidade, mas esta demoraria muito para acontecer. Impostos vários, ao longo dos 100 anos seguintes, foram cobrados para a obra, mas o dinheiro sempre foi empregado com outros fins – uma tradição carioca e brasileira. Só nos mil e setecentos os cariocas ganhariam um aqueduto – os Arcos da Lapa.

A cidade não cresceu apenas em seu eixo central. Ao longo do século XVII, rumou para o norte, primeiro por conta dos vários engenhos dos jesuítas – Engenho Novo, Engenho Velho, Real Engenho (Realengo); depois, com propriedades particulares. A de Brás de Pina, por exemplo. O crescimento em direção ao norte foi tamanho que, em 1647, a cidade que tinha duas paróquias – a de São Sebastião, no Castelo, e a da Candelária – passou a quatro, com a instauração das de Irajá e de Meriti.

Mas em direção ao sul, não. Cresceu discreta. À beira da lagoa de Sacopenapã, atual Rodrigo de Freitas, havia um engenho. O engenho d'El-Rei que Antônio de Salema havia erguido nos tempos da fundação estava, a essa altura, nas mãos da terceira geração da família de Diogo de Amorim Soares, que o comprou do governo em finais do século XVI e o revendeu para o genro em inícios do século seguinte. Era uma terra que incluía as praias de Copacabana, Ipanema e Leblon, para as quais ninguém tinha qualquer uso. Do outro lado da Lagoa, atuais Jardim Botânico e Gávea, ficou por um tempo o engenho de Nossa Senhora da Cabeça, erguido pelo pai de Salvador, Martim. No alto da rua Faro, dentro da Casa Maternal Mello Matos, ainda está lá uma capelinha que Martim de Sá ergueu. A essa altura do século XVII, também já estava tudo nas mãos dos herdeiros de Soares.

Em 10 de maio de 1655, um sargento holandês chamado Joost Vrisbeger van Cassel prestou um longo depoimento em Haia a respeito do Rio de Janeiro, onde viveu vários meses.[25] Ali, na altura de onde desembocava na Guanabara o rio Carioca, Van Cassel encontrou morando vários conterrâneos que foram parar na cidade fugidos de Pernambuco, ou prisioneiros de batalhas que ganharam li-

[25] FAZENDA, José Vieira. op. cit., vol. 5.

berdade, ou aventureiros. É bem provável que o nome praia do Flamengo venha daí, dessa gente *flamenga*, holandeses ou belgas. A partir da década de 1660, outros tantos foram viver ao longo do leito do Carioca, em direção ao vale das Laranjeiras – onde não havia, ainda, laranjeiras. Destes se reclamava muito porque sujavam o rio, fonte de água da cidade.[26]

O perímetro urbano ficava ali entre Castelo e São Bento, a zona rural seguia ao norte, e ao sul ninguém passava muito do Flamengo. Viviam uma vida de muita comida e falta de quase todo o resto. Não bastasse, a carga tributária era violenta.

E as coisas pioraram um pouco a partir de 1649, quando foi instaurada a Companhia Geral do Comércio do Brasil.

O grande promotor da ideia, em Lisboa, fora Antônio Vieira, um padre jesuíta português educado no Brasil que se firmou como homem de confiança de d. João IV. O objetivo era instituir uma companhia parecida com as que espanhóis e holandeses já tinham. Ela teria o monopólio do comércio com a colônia. Tudo o que viesse do Brasil seria em navios da Companhia; e tudo o que fosse para o Brasil, também. O empreendimento foi financiado com o dinheiro de judeus que Vieira tratou de reintegrar à sociedade e tinha algumas vantagens do ponto de vista luso. Centrali-

[26] FAZENDA, José Vieira. op. cit., vol. 1.

zando, a relação era mais fácil de controlar. E, como a partir de então seria um único grupo de navios fazendo anualmente o percurso Europa-América-Europa, ficava mais fácil protegê-los contra piratas e corsários.

Vieira teve um importante aliado: Salvador Corrêa de Sá e Benevides, que deixou o governo do Rio para servir de primeiro almirante da frota que garantia a segurança da carga.

O AÇÚCAR BRASILEIRO SUSTENTAVA PORTUGAL E A MÃO DE OBRA NEGRA PRODUZIA O AÇÚCAR. SEM FONTE SEGURA DE ESCRAVOS, A ECONOMIA DE TODO O IMPÉRIO ESTAVA EM RISCO. SALVADOR E O PADRE VIEIRA ERAM OS PRINCIPAIS PROPONENTES DE UMA OPERAÇÃO DE RECONQUISTA.

Só porque era do interesse de Portugal não quer dizer que era bom para os brasileiros. Repentinamente, os produtores de açúcar não tinham mais como negociar o melhor preço de transporte de sua carga. E os comerciantes brasileiros, os donos de quitandas, armarinhos ou tabernas, quem vivia de revender os produtos que chegavam do reino, tiveram seus custos todos aumentados. Como a viagem passou a ser anual, a oferta também diminuiu e longos períodos de escassez foram impostos.

Portugal vivia, na década de 1640, um período atribulado e ia perdendo, paulatinamente, seu império no Além-Mar. A rota de especiarias já estava quase toda nas mãos de outros europeus. Para a Holanda, perdeu Pernambuco em 1630, Angola em 41. Como não tinha escolha, d. João IV assinou um cessar-fogo com os holandeses após a independência, mas, se o acordo terminava com as hostilidades, ele também congelava a situação de forma desfavorável.

Salvador Benevides, que chegou em Lisboa no final de 1645 de sua primeira viagem protegendo a frota da Companhia, era um homem agitado.[27] Tinha 43 anos, estava brigado com o governador-geral na Bahia e queria continuar seu caminho de ascensão. Seu valor militar já era reconhecido, assim como sua compreensão profunda das coisas da colônia americana era respeitada. Mas, na corte, sua origem espanhola ainda despertava desconfianças. Disso, Salvador nunca se livrou em vida. Tinha assento no importantíssimo conselho ultramarino, o órgão que geria todo o império português, e no entanto não era esse tipo de cargo burocrático que almejava. Logo que vagou uma governadoria, a de Macau, na China, Salvador de presto ofereceu-se para assumi-la. O nome foi recusado. As colônias nas Filipinas e no Japão estavam perdidas, havia medo de que, na China, Salvador se bandeasse para o lado espanhol. Além do mais, ele entendia mesmo era do naco ocidental do Império.

A ele coube outra missão, particularmente delicada e mais propícia a seus talentos: Angola. O núcleo português na terra dos bantos estava cada vez menor e a capital, São Paulo de Luanda, seguia controlada pelos holandeses. O açúcar brasileiro sustentava Portugal, e a mão de obra negra produzia o açúcar. Sem fonte segura de escravos, a econo-

---

[27] BOXER, Charles R. op. cit.

mia de todo o império estava em risco. Salvador e o padre Vieira eram os principais proponentes de uma operação de reconquista. Mas, por conta do cessar-fogo assinado com os holandeses, o assunto era tabu. Em maio de 1646, o governador português de Angola, Francisco do Soutomaior, morreu. Era ele quem liderava a resistência no interior. D. João nomeou Salvador para o governo do reduto luso na África. Em teoria, era não mais que isso: governador de um reduto pequeno.

Nomeado, Salvador não seguiu para Angola. Em Lisboa, alugou uma fragata inglesa que poderia singrar incógnita e rápida com destino ao Rio de Janeiro.

DE CACHAÇA E GINGA

A rainha N'Zinga tinha já 58 anos quando os holandeses conquistaram a cidade de São Paulo de Luanda, em 1641. A sua era uma longa história de diplomacia e guerras. "Uma guerreira astuta e prudente", segundo um oficial holandês com quem conviveu, "tão obcecada por lutas que raramente se exercita de outra forma; tão valente quanto generosa: jamais machucaria um português após sua rendição e trata escravos e soldados da mesma forma."[1]

N'Zinga era uma mulher em cargo masculino que como homem se portava. Vestia-se de homem e fazia com que seus 50 ou 60 concubinos se vestissem de mulher. Não permitia que a chamassem de rainha; era rei. Certa vez, quando bastante jovem e ainda era seu irmão que estava no comando de N'Dongo, N'Zinga foi em missão diplomática negociar uma trégua com o governador português em Luanda. Não lhe ofereceram cadeira; N'Zinga não teve

---

[1] BOXER, Charles R. op. cit.

dúvidas: mandou que um escravo ficasse de quatro no chão e, durante todo o encontro, enquanto o governador esteve sentado, também ela sentou-se.

Os povos que os portugueses encontraram na África não tinham nada do primitivismo tupi. Os bantos dividiam-se numa variedade de reinos, a maioria fiéis ao imperador do Congo. Se não tinham a escrita, dominavam quase todas as outras tecnologias de trabalho de metal, cerâmica e tecelagem e organizavam-se numa política complexa. Quando os europeus passaram a agir no continente, entre os séculos XV e XVI, a África estava em guerra, a caminho de organizar-se em grandes nações. O Império do Congo era uma delas, e seu imperador converteu-se ao catolicismo luso.

Próximo a Luanda ficava o N'Dongo, que seguiu independente. Os portugueses trataram de dobrá-lo, mas N'Zinga reuniu seus exércitos e conquistou o reino vizinho de Matamba. Embora já não tivesse domínio do N'Dongo, ainda era vista por boa parte dos seus como a monarca legítima.

Mais de um governador português tentou providenciar sua morte – no entanto, vencidas umas batalhas, perdidas outras, N'Zinga terminava sempre viva, sempre forte, sempre no comando em algum lugar. Em vida, ela apresentou-se a diplomatas e generais os mais diversos como a católica batizada Ana de Souza, ou a rainha em busca de tréguas, ou a canibal em fúria – e era tudo isso. Não à toa, quando os escravos bantos da Bahia apresentaram aos brasileiros seu jogo de capoeira, o princípio da luta era a ginga: a manemolência de estar sempre no mesmo lugar e sempre em movimento, sempre sorrindo e sempre na ofensiva, um contínuo em pé estando fluido. "Ginga", a palavra, vem de N'Zinga, a rainha.

Do ponto de vista europeu, a história conta que Angola era dos portugueses. Então os holandeses dominaram o terreno, e aí se seguiu a reconquista. E, contado assim, parece que brancos diversos lutaram enquanto os negros escravos futuros observaram. Mas não foi. A habilidade holandesa foi a de aceitar o acordo que N'Zinga havia proposto antes aos portugueses: que não cassassem escravos em seu reino, que não interferissem na política local, que fornecessem armas.[2] Em troca, ela cuidaria do fornecimento continuado de escravos vindos de suas outras guerras. Assim, conquistada a pequena Luanda, com o apoio de N'Zinga os holandeses conseguiram sufocar até quase eliminar a presença portuguesa na terra dos bantos.

A rainha N'Zinga já tinha chegado aos 65 anos, há 41 no poder, e ainda comandava seus exércitos à frente, embrulhada em suas peles de leopardo – tinha talvez até fome de carne humana – quando seu novo adversário português chegou ao costão africano. A essas alturas, quase todos os reinos já eram fiéis ou a N'Zinga ou aos holandeses. Até o Congo, que a um tempo pareceu irremovível na coluna portuguesa, tinha já se bandeado. Apenas dois reinos muito pequenos continuavam aliados de Lisboa. Só que o novo governador de Angola não era como os anteriores. Este novo poderia ser descrito da mesma forma que N'Zinga: um guerreiro astuto e invicto.

[2] SILVA, Alberto da Costa e. *A manilha e o libambo*.

Salvador Corrêa de Sá e Benevides vinha do Brasil. Quando deixou Lisboa nomeado para o cargo africano, carregava duas ordens distintas. Oficialmente, deveria obedecer o cessar-fogo com os holandeses e teria a sua disposição uns 600 homens, angariados entre Portugal e Madeira. Mas d. João IV não nomeou alguém com suas aptidões militares com nenhum outro objetivo que não o da reconquista de Angola.

OS POVOS QUE OS PORTUGUESES ENCONTRARAM NA ÁFRICA NÃO TINHAM NADA DO PRIMITIVISMO TUPI. SE NÃO TINHAM A ESCRITA, DOMINAVAM QUASE TODAS AS OUTRAS TECNOLOGIAS DE TRABALHO DE METAL, CERÂMICA E TECELAGEM E ORGANIZAVAM-SE NUMA POLÍTICA COMPLEXA.

Era um período crítico: as informações recebidas da Holanda faziam crer que se preparava uma grande expedição, 53 navios, 6.000 homens, que viriam apoiar a colônia no Brasil. Quando Salvador chegou ao Rio, não faltou quem lhe recomendasse prudência. Depois de terem dominado Pernambuco, de terem quase controlado a Bahia, os holandeses talvez quisessem o Rio. O próprio Salvador hesitou – mas o padre João d'Almeida teve uma visão e disse que deveria seguir para a África.

De Lisboa, Salvador tinha partido com cinco navios, umas centenas de homens angariados nas cadeias – "dos piores", segundo Benevides – e pouco dinheiro. Na Bahia, o governador-geral havia dado ordens para que um imposto sobre o açúcar fosse instaurado para financiar sua expedição. Mas Salvador achou melhor pedir o empréstimo voluntariamente. O dinheiro veio. Um dos homens ricos do Rio chegou a levar sua contribuição acompanhado de uma banda. A generosidade carioca e paulista permitiu que Salvador deixasse a Guanabara rumo à África, em 12 de maio de 1648, com 15 navios e 1.400 homens.

E os holandeses deram dois passos em falso. Em Pernambuco, o governo do Brasil holandês ofereceu-se para interceptar a esquadra de Salvador. A chefia europeia julgou que não havia necessidade. Consideravam que a missão, composta de mais índios do que brancos, não tinha qualquer chance. A notícia de que estavam a caminho, no entanto, não chegou a tempo em Luanda. Salvador teve sorte. Quando deu na costa angolana, em agosto, capturou dois pescadores de quem soube que o governador Symon Pieterszoon estava no interior, acompanhado de pelo menos metade de seus homens e mais N'Zinga, numa marcha para eliminar de vez o bastião português. As duas centenas de homens que restaram, ao ver a frota chegando, deixaram Luanda e abrigaram-se nos pequenos fortes em dois morros próximos à cidade.

No dia 15, Salvador Corrêa de Sá e Benevides simplesmente marchou sobre a capital da Angola acompanhado de 800 soldados e 200 marinheiros.[3] Nos navios, deixou uma série de manequins à proa que foram confundidos com mais gente por quem estivesse assistindo de longe. No dia 16, avançou contra o forte de um dos morros. Não conseguiu muito. Então planejou um segundo ataque, or-

[3] BOXER, Charles R. op. cit.

ganizado em três colunas. Duas avançariam sobre o forte mais protegido por dois lados diferentes, a terceira contra o segundo forte. Mas, na madrugada do dia 17, contando apenas com ampulhetas para marcar o tempo, os ataques seguiram dessincronizados, um após o outro, facilitando aos holandeses a resistência. O fiasco terminou com 150 homens mortos do lado carioca, três do holandês.

E aí os holandeses levantaram a bandeira branca.

Talvez tivessem os canhões avariados, talvez tenham acreditado que os cariocas eram inúmeros, dados os manequins. Talvez simplesmente não estivessem dispostos a lutar até a morte. Após negociações, assinaram a rendição no dia 21. Marcharam em retirada no dia 24, mesmo dia em que, esbaforido, o governador Pieterszoon voltava do interior sem mais qualquer chance de nada que não aceitar o fato consumado. Repentinamente sem aliados, a rainha N'Zinga retirou-se para o interior. Mais de dez anos depois, finalmente assinou um tratado de paz com os portugueses. Morreu ainda no trono, sucedida por uma irmã. Tinha 80 anos.

Oficialmente, Portugal informou aos holandeses que Salvador Corrêa de Sá e Benevides operou contra suas ordens, fazer o quê. No espaço de uma semana, reverteu a situação africana e assumiu o governo de Luanda, instaurou um imposto para pagar a dívida para com cariocas e paulistas e manteve-se no cargo até 1652. Foi quando voltou ao Rio de Janeiro. No colégio dos Jesuítas, o velho padre João tinha ainda uma última profecia para lhe fazer: de que estaria de volta a Portugal ainda naquele ano.

Em 1649, os portugueses reconquistaram Pernambuco. Foi uma vitória de Pirro. Parte dos holandeses tomou o caminho de Nova Amsterdã, futura Nova York. A maioria seguiu para as ilhas Antilhas, onde estabeleceu o negócio do açúcar com o *know-how* aprendido no Brasil. Na segunda metade do século, a competição com o novo fornecedor de açúcar tornou-se devastadora para a economia da colônia e de sua metrópole. Portugal e Brasil estavam fadados a uma crise econômica ainda mais grave.

Salvador Corrêa de Sá e Benevides era um homem amargurado quando foi renomeado novamente para o governo do Rio, em 1668. Era mais poder, dessa vez. O Rio tornava-se capital da Repartição Sul: todo o país do Espírito Santo para baixo. O trecho da Bahia até o Maranhão continuava a cargo do governador-geral, mas Salvador sentia que era pouco. Havia dado a Portugal sua primeira grande vitória militar em várias e várias décadas e recebeu quase nada em troca.

D. João IV achava, não sem razão, que se concedesse um título de nobreza ou um cargo importante demais, estaria premiando aquilo que oficialmente tinha sido insubordinação. Salvador tornou-se um homem importante demais para o Império e no entanto devia seguir sem reconhecimento.

A cidade do Rio continuava com a família. Lá, Salvador encontrou seu primo Tomé Correia de Alvarenga no governo, mas não teve pressa de substituí-lo. Fez-se governador de fato, mas permitiu que o outro continuasse com o salário. Ele estava se aproximando dos 60 anos, não tinha alcançado toda a glória que desejou e não por sua incompetência. As ondas políticas pareciam sempre quebrar ao seu redor. Sobreviveu sempre, mas elas encurtaram suas possibilidades. Ao Salvador envelhecido restava apenas uma obsessão: ouro.

Seu pai Martim havia procurado ouro. Assim como todos os bandeirantes. O padre Vieira costumava dizer deles que a busca por ouro não passava de uma desculpa para caçar índios, e talvez fosse verdade. Mas havia uma crença profunda de que em algum lugar existia ouro escondido. As lendas indígenas, herdadas dos tempos quinhentistas, persistiam. Ora falavam de Sambarabussu, as montanhas brilhantes, ora referiam-se à serra das Esmeraldas. E nem todas as buscas tinham sido infrutíferas. Algum ouro já tinha sido encontrado nos leitos de rios próximos a São Paulo. Nos finais dos anos 1640, uma quantidade até razoável foi encontrada próxima ao rio Paranaguá. Só que não era ainda como no Potosí, não era uma quantidade obscena.

Salvador tinha para si que era no Espírito Santo que encontraria. Antes mesmo de assumir o governo, em 1659, ordenou que o filho João conduzisse uma expedição saindo de Vitória.

De resto, tinha outra preocupação: o negócio naval de sua família. Montou um estaleiro na ilha onde funcionou o engenho de seu avô, o velho Salvador. Não tinha sonho pequeno: queria construir o maior navio a singrar nos mares para o transporte de açúcar e mantimentos da Companhia Geral do Comércio. Mas o trabalho no galeão Padre Eterno seguiu lento, durou anos. De qualquer forma, é assim que a ilha do Governador ganhou sua ponta do Galeão, onde funcionaria mais tarde o aeroporto internacional.

Em janeiro de 1660, finalmente assumiu o governo. O Rio de Janeiro estava falido. Os navios da Companhia Geral do Comércio estavam atrasados, várias epidemias em sequência eliminaram boa parte da mão de obra escrava. Sem dinheiro circulando o comércio estagnou-se. Como pouco se comprava e pouco havia à venda, os impostos foram deixando de ser arrecadados. A guarda da cidade, de 350 homens, não recebia salário fazia nove meses, e portanto muitos dos soldados trabalhavam à noite como taberneiros. A cidade estava falida e desguarnecida.

Salvador reuniu a Câmara, queria passar um novo imposto predial de emergência. Não seria, ele argumentava, nada que já não estivesse sendo feito em Pernambuco e na Bahia, onde o funcionalismo público era sustentado diretamente por taxas pagas pelos cidadãos. Só que ninguém tinha dinheiro e a última dívida contraída por sugestão de Salvador, a que financiou a reconquista de Angola, ainda não havia sido paga de todo.

Angola, aliás, havia sido um favor da cidade a Lisboa e havia ganho pouco em troca.

A Câmara fez ao governador uma contraproposta. Que os cidadãos fizessem doações voluntárias. Foi aprovada unanimemente – até com o voto do representante dos jesuítas. Se todo o dinheiro não fosse angariado, restabeleceriam o fabrico de aguardente – que Lisboa havia proibido para conceder o monopólio do álcool à Companhia do Comércio – e dele extrairiam um novo imposto. Mal-humorado, Salvador concordou. O dinheiro voluntário não veio. Veio a cachaça, tascaram novos impostos também no azeite, no vinho, no tabaco. Continuou insuficiente. Aí Salvador simplesmente impôs seu pesado imposto predial.

No dia 11 de outubro, passou o cargo ao primo Tomé, e tomou o rumo do sul para se informar em São Paulo sobre como estava a busca por minas.

A reunião teve início na noite de 7 de novembro, numa praia de São Gonçalo, do outro lado da Guanabara. Então eles cruzaram a baía e não havia sol ainda quando começaram a gritar. A multidão se uniu a eles, invadiram a Câmara. Convocaram o tabelião, o governador em exercício, os vereadores. Tomé não foi; quando soube, fugiu para o mosteiro de São Bento em busca de proteção. Quem se sentia próximo dos Sá fugiu igualmente. O tabelião então lavrou ata datada do dia 8 às cinco da manhã, dando notícia do golpe: Tomé estava deposto. Toda a Câmara, idem. Os impostos, suspensos.

Uma revolução popular estava em curso.

O líder revolto Jerônimo Barbalho Bezerra, cujo pai havia sido herói da resistência aos holandeses na Bahia, mandou carta com ordens para que Tomé se apresentasse. O governador deposto respondeu por escrito que não ia, recomendou calma, explicou que não podia concordar com nenhuma das ações. Aí a multidão subiu São Bento. Aos berros reclamavam que Salvador havia "descomposto os homens, mesmo oficiais da Câmara, com palavras injuriosas e afrontosas".

Tomé e os seus foram presos na fortaleza de Santa Cruz.

Os impostos e a eventual falta de consideração de Salvador não estavam entre suas únicas queixas. Reclamavam que ele obrigava os fazendeiros a emprestarem seus escravos, que desflorestava as terras dos outros em busca de toras para a construção do Padre Eterno, que manipulou para conseguir o monopólio da venda de carne, reservava de cada carregamento vindo de Angola os melhores escravos para si e impunha aos negreiros um preço de sua escolha. Dava festas em sua casa que seguiam até tarde, onde os frequentadores perdiam o dinheiro que traziam nas cartas. Por fraude, acusavam, tinha se transformado no homem mais rico do Brasil.

E, por aclamação, o povo elegeu Agostinho Barbalho, irmão de Jerônimo, para o governo. Os dois não pareciam ter o mesmo sangue: foi a vez de Agostinho esconder-se, este no convento de Santo Antônio. Foram buscá-lo explicando que sua outra opção era a morte. Ele aceitou o cargo, mas passados uns dias adoeceu, ou assim disse, e foi "sangrado em saúde", assim disseram.

A providência seguinte foi circular homens com tambores pela cidade lendo a declaração de esquina em esquina. "Que toda a pessoa de qualquer qualidade, parente ou não parente do general Salvador Corrêa de Sá e Benevides, criado, amigo e afeiçoado, que se quiser ir para a sua companhia, se irá manifestar ao Senado da Câmara para se lhe dar licença e toda boa passagem."[4] Tinham o prazo de dois dias. Depois, "constando que por qualquer via se carteia com o dito general, ou siga a sua voz, será preso e degredado dez anos para Angola, e haverá a mais pena que o povo lhe quiser dar".

Agostinho ainda tentou reconduzir os depostos aos cargos, mas os líderes revoltos os puseram num navio e os enviaram presos para julgamento em Lisboa. Não se tratava de uma revolução separatista; declaravam-se leais ao novo rei, o jovem d. Afonso IV, filho de d. João, e tinham convicção de que seriam compreendidos pela metrópole. Reuniram quatro companhias milicianas e espalharam-nas em pontos estratégicos da cidade. No dia 16 de novembro escreveram à Câmara de São Paulo contando do ocorrido. Pediam simpatia.

É só que os acontecimentos de 1640, quando o Rio não foi solidário na expulsão dos jesuítas, veio à memória. E, dessa vez, São Paulo ficou do lado de Salvador.

Protegido em São Paulo, Salvador começou seu xadrez. Enviou carta no Ano-Novo nomeando Agostinho Barbalho seu governador interino, ofereceu uma anistia geral e aboliu os impostos que atiçaram a turba. A resposta foi a deposição de Agostinho em fevereiro. Jerônimo fez-se governador revolto. E a frota da Companhia de Comércio, cuja demora havia agravado a situação econômica do Rio,

---

[4] FAZENDA, José Vieira. op. cit., vol. 2.

continuava atrasada. Como não tinha escolha que não esperar, Salvador providenciou o alargamento da trilha que levava da praia a São Paulo, permitindo enfim a passagem de carros de boi ou carroças.

Quando teve notícias de que a frota da Companhia estava se aproximando, Salvador deixou São Paulo. Os paulistas ofereceram-lhe reforços, mas ele disse que não precisava. Por mais justas que fossem as queixas cariocas, jamais houve possibilidade de sucesso. Jamais teriam como usar uma milícia maltreinada para resistir a um dos melhores estrategistas militares de seu tempo.

EM 1649, OS PORTUGUESES RECONQUISTARAM PERNAMBUCO. A MAIORIA [DOS HOLANDESES] SEGUIU PARA AS ILHAS ANTILHAS, ONDE ESTABELECEU O NEGÓCIO DO AÇÚCAR APRENDIDO NO BRASIL. A COMPETIÇÃO COM O NOVO FORNECEDOR DE AÇÚCAR TORNOU-SE DEVASTADORA PARA A ECONOMIA DA COLÔNIA PORTUGUESA E DE SUA METRÓPOLE.

Em Angra dos Reis, Salvador encontrou-se com o filho João. A frota, comandada por Manuel e Francisco Freire de Andrade, seu amigos de há muito, cruzou a Guanabara preparada para dar qualquer apoio que fosse necessário. Na madrugada do dia 6 de abril, acompanhado de índios, seus constantes aliados, Salvador e João entraram na cidade, dominaram o paiol e os pontos de sentinela. Os soldados da frota, devidamente uniformizados, desceram à terra e puseram-se em formação na atual praça XV. Quando o dia amanheceu, a revolução já havia caído sem que seus líderes o soubessem. Foi sua vez de procurar refúgio nos conventos sem qualquer chance.

A corte marcial mandou prender todos no mesmo dia e deportá-los para julgamento na Bahia. Com a exceção de Jerônimo.

Foi decapitado no largo da Polé antes de a noite cair.

Dias depois, em carta para El-Rei, Salvador explicou sua decisão. "Resolvemos pôr-lhe a cabeça no pelourinho, com que não só se conseguiu a quietação, mas um geral exemplo às conquistas de Vossa Majestade."

Lisboa não gostou. O auto que derrubara Salvador tinha sido assinado por 112 pessoas. O conselho ultramarino se apressou a lembrar tanto para a rainha regente quanto para seu filho que revoltas populares já haviam causado problemas no Ceilão, em Macau e em Goa. Em geral, a população tinha mais razão do que os governadores. E, no caso do Rio de Janeiro, era particularmente grave. A cidade era importante demais no Brasil, e o Brasil ainda sustentava o Império. O Conselho concluía ainda, a respeito da substituição de Salvador, que era "uma pena que não tivesse sido antes".[5]

Em 29 de abril de 1662, o fidalgo Pedro de Mello foi nomeado governador do Rio de Janeiro. Salvador Corrêa de Sá e Benevides permaneceu em sua casa por ainda mais um ano para cuidar do fim da construção do Padre Eterno.

O período revolucionário, no qual a cidade governou-se por conta própria, durou cinco meses.

---

[5] BOXER, Charles R. op. cit.

Ao aportar em Lisboa, em junho de 1663, Salvador foi preso, acusado de ter aceito suborno de navios holandeses para carregarem-se de açúcar no porto do Rio. Não durou muito a prisão e, ainda no fim do ano, ele retornou à cadeira no conselho ultramarino. Os processos judiciais envolvendo a revolta carioca que ficou conhecida na história como Bernarda terminaram em 68 com uma anistia geral.

Em Lisboa, d. Afonso IV era um imbecil com mais gosto por farras do que governo. As coisas do Estado eram tocadas pelo conde de Castelo Melhor, na recente tradição europeia inaugurada por Richelieu. Salvador rapidamente fez amizade com o conde, e assim sua sorte política virou. Num golpe palaciano, a mulher de Afonso, Maria Francisca de Saboia, o convenceu a renunciar ao trono em nome do irmão, d. Pedro II de Portugal. Aí a jovem, ajudada pelos jesuítas, conseguiu a anulação do matrimônio alegando estar intacta. Casou-se com Pedro. Salvador fez parte ainda de uma tentativa de contragolpe em favor de d. Afonso e Castelo Melhor, mas fracassou. Ao fim de uma longa madrugada, ao lado dos golpistas fracassados, foi vaiado por uma multidão em Lisboa quando visto na sacada do palácio real.

Foi salvo da ira real, no entanto, pela interferência de seus velhos amigos jesuítas, que jamais o abandonaram.

Os Sá mantiveram o título hereditário de alcaide-mor do Rio de Janeiro, mas tratava-se de uma sinecura com alguma renda e nenhum efeito político. Em 1666, Martim de Sá, primogênito de Salvador, foi feito visconde de Asseca. No leito de morte, o último Sá a governar o Rio escreveu sem falsa modéstia: "Sempre dei boa conta de mim." Ele costumava dizer que queria morrer com "o consolo de ouvir tiros na hora da morte".[6] Mas não morreu em batalha; morreu na cama, em Lisboa, no Ano Novo de 1687.

A história se nega a dar um veredicto a respeito de Salvador Corrêa de Sá e Benevides. Seu avô, o velho Salvador, era só um garoto para quem sobrou o governo e que foi ficando na terra. Seu pai, Martim, era carioca, tinha bons relacionamentos com o reino, era capaz militarmente, mexia-se com desenvoltura na política local.

Mas Salvador e Benevides foi tão além.

Durante mais de década, os paulistas tiveram medo de uma mera visita sua, como se sua presença fosse capaz de incutir nos índios um desejo de liberdade e revolta que pudesse quebrar o tênue equilíbrio social. A comunidade do Rio e de São Paulo era profundamente incoerente. As índias eram suas mulheres, seus filhos eram mamelucos, falavam tupi mais que português e seus escravos eram índios. Há quem olhe com estranheza para a África onde negros escravizavam e revendiam negros. O sul brasileiro não foi em nada diferente.

[6] BOXER, Charles R. op. cit.

Salvador Corrêa de Sá e Benevides é lembrado pela história portuguesa como um dos raros generais capazes em uma longa tradição de incompetentes. Só que não era realmente um general europeu; no fundo era um bandeirante que substituiu o gibão de couro por roupa de mosqueteiro. Mas, com seus índios flecheiros e longas canoas, não enfrentava outros índios. Enfrentou, feriu e venceu Piet Heyn, o herói holandês, o homem que capturou uma das frotas espanholas mais bem protegidas do tempo. Com seus mesmos índios flecheiros, quando Portugal estava falido, em uma trinca de dias reconquistou Angola e encaminhou a paz com os bantos.

Por que terá insistido na defesa dos índios? Os jesuítas tinham lá sua missão religiosa. Mas Salvador se expôs demais pelo apoio aos padres. No fim, esse incômodo que causou teve parte na revolta que o derrubou. Provavelmente havia ali uma carga emocional muito forte; talvez, em seus momentos de fraqueza, quando se permitia exibir medo ou insegurança, encontrasse consolo na figura paterna do padre João D'Almeida, como seu tio-avô Estácio encontrou em Anchieta. Mas Estácio era um menino. Salvador, um homem, um desses personagens maiores que a história. Talvez o espírito de camaradagem em guerras sempre acompanhado dos tupis o fizesse vê-los de maneira diferente. Não é que lhe repugnasse a escravidão; não tinha esses pudores com negros.

Talvez fosse arrogância, um olhar de desprezo para o povo branco, os lojistas, pequenos donos de terras, a classe média carioca ainda provinciana a sua volta.

E talvez este mesmo povo branco o olhasse com inveja. A maioria das pessoas ali conviveu com ele desde sempre. Os revoltosos de 1660, os revoltosos de 1640, todo mundo era a mesma gente numa cidade muito pequena. Seus pais se conheceram e conviveram, seus avós idem. Lutaram juntos, se sacrificaram juntos.

SALVADOR É LEMBRADO PELA HISTÓRIA PORTUGUESA COMO UM DOS RAROS GENERAIS CAPAZES, NUMA LONGA TRADIÇÃO DE INCOMPETENTES. SÓ QUE ELE NÃO ERA REALMENTE UM GENERAL EUROPEU; NO FUNDO ERA UM BANDEIRANTE QUE SUBSTITUIU O GIBÃO DE COURO POR ROUPA DE MOSQUETEIRO.

E, no entanto, a mesma compaixão que demonstrou para com os índios, a ponto de correr riscos políticos, jamais a demonstrou pela classe média carioca. Para a gente que vivia de produzir e tentar vender o que produzia. O típico senhor de engenho nordestino, não o havia no Rio. As pessoas viviam uma vida difícil. Lidavam com dívidas, o dinheiro que sobrava era parco. Não tinham água. E Salvador jamais teve pudores de explorá-los. Tinha muito dinheiro, muitas terras, e no entanto queria sempre mais. Passava como um trator pela Câmara, pelos comerciantes, pelos fazendeiros. Exigia deles seus escravos, tirava deles as possibilidades dos negócios com algum futuro. Quantos monopólios pôde ter, teve. Quantas terras pôde conseguir, conseguiu. Não tinha, como seu pai teve um dia, qualquer interesse pelo Rio de Janeiro. Aquelas eram suas terras, como tantas outras, e representavam o cargo com o qual podia contar. Só isso.

A história tradicional costuma contar que a Bernarda liderada por Jerônimo Barbalho foi contra a oligarquia dos Sá. Durante o século XX, historiadores alçaram Barbalho a uma espécie de Tiradentes, o primeiro sujeito a levantar-se contra o excesso de impostos, contra os desmandos do poder colonial. E, nisso, não estão de forma alguma errados. Era esta sua revolta. Mas a revolta não foi contra a oligarquia dos Sá. Não foi contra o velho Salvador, contra Martim – não foi sequer contra Tomé Alvarenga de Sá e os outros primos e tios seus contemporâneos. O próprio Salvador, durante a revolta, despachou o primo Tomé descrevendo sua ação como "mais parecida com a de um campônio que a de um soldado".

A revolta foi contra Salvador.

Mais de uma vez o acusaram de corrupto. Talvez fosse. Não precisava, então talvez não tenha sido. É curioso que o mesmo conselho ultramarino do qual fazia parte tenha julgado que sua deposição já vinha tarde. Tinha muitos inimigos, ali. Como num *western*, não havia espaço em Lisboa para muitos homens com sua ambição. E, no entanto, se apenas as ondas políticas tivessem sido diferentes; se tivesse demorado mais um pouco para que Portugal ganhasse a independência de Espanha; se d. João não tivesse sido paranoico por conta de sua origem espanhola; se d. João tivesse tido coragem de reconhecer seu feito em Angola; se ao menos d. Afonso não fosse tão fraco e tivesse se mantido no poder, permitindo o governo de Castelo Melhor.

Quase que Salvador foi muito mais do que chegou a ser.

Um governador do Rio que conquistou um país inteiro na África. Um governador do Rio que organizou e quase levou um golpe de estado em Lisboa.

De todas as acusações que lhe fizeram após a Bernarda, a mais curiosa é a de que patrocinava noites de jogatina em sua casa na esquina das atuais Alfândega e Primeiro de Março. Segundo os revoltosos, Salvador terminava sempre limpando o bolso dos presentes. A acusação fazia sentido porque jogos de azar eram malvistos. Mas é curiosa porque só participava quem queria. E é também reveladora. Salvador Corrêa de Sá e Benevides era um jogador. Se havia uma coisa da qual jamais teve medo foi de apostar alto. O tipo de jogador que pega todas suas fichas e as põe às cartas, mesmo que sua mão não seja das melhores. Blefa convicto sem quaisquer dúvidas de que, de alguma forma, talvez apoiado pelo sobrenatural, vencerá. Confiava em si próprio como poucos conseguem. Agiu às vezes com sapiência. Mas também com uma arrogância de quem tem o controle do próprio destino, de que não vê chances de derrota. Salvador jogou por toda a vida e ganhou mais partidas do que perdeu. Morreu muito maior do que nasceu. Mas, para esse tipo de gente, a impressão que fica sempre é de que era possível ir além. Não é à toa que morreu amargurado.

Nunca mais um Sá governou o Rio de Janeiro.

Em 1680, o padre Clemente Martins de Matos comprou a sesmaria que em tempos idos pertencera a João Pereira Botafogo. As terras percorriam o vale a partir da praia até a boca da lagoa de Sacopenapã.[7] O padre Clemente era vigário-geral da cidade e neto de Antônio Martins de Palma, fundador da Candelária. Um dos morros de suas terras, chamou-o D. Marta em homenagem a sua mãe, dona Marta Figueira de Matos.[8] E, a partir da praia, traçou um caminho em suas terras na direção de uma pequena capela que ergueu. Era a capela de São Clemente, em homenagem própria. O caminho marca o começo da atual rua São Clemente. Foi assim, em finais do século XVII, que teve início uma expansão tímida em direção à Zona Sul.

Em 1693, um grupo de bandeirantes descobriu ouro à beira do Rio das Mortes, em Minas.[9]

---

[7] Atual Rodrigo de Freitas.

[8] GERSON, Brasil. op. cit.

[9] BOXER, Charles R. *A idade de ouro do Brasil.*

MINAS NÃO HÁ MAIS

No final do século XVII, conta um testemunho da época, um grupo de bandeirantes perseguia índios cataguases, no interior, quando alguém percebeu que se ornavam com enfeites diferentes.[1] Presas nos lábios e orelhas, peças de ouro. Perguntou-se ao chefe local de onde vinha o metal. Do rio das Mortes, ele respondeu, em cujas margens brotariam, nas décadas seguintes, Barbacena, Barroso, São João del-Rei, Ibituruna e a vila que num dia futuro seria rebatizada Tiradentes.

D. Rodrigo de Castelo Branco caiu morto na noite de 23 de agosto de 1683. Emboscado. Castelhano, especialista em mineração com larga experiência na América espanhola, estava no Brasil a serviço do rei português fazia dez anos. Sua missão era investigar as histórias de descobrimentos de metal precioso. Nos dias anteriores a sua morte, vinha discutindo com o paulista Manuel da Borba Gato, um in-

---

[1] BOXER, Charles R. *A idade de ouro do Brasil.*

fluente chefe bandeirante. O tema da desavença é incerto. Após o assassinato, Borba Gato desapareceu. Sumiu-se no interior por 15 anos. Quando reapareceu, havia sido perdoado e ganhara patente real. A família negociou tudo com o governo. Borba Gato, dizem uns, havia encontrado ouro no rio das Velhas. Minas.

O testemunho é de época, porém impossível ter certeza de que o depoimento a respeito dos índios cataguases ornados com ouro seja verdade. O envolvimento de Borba Gato com o assassinato do fidalgo espanhol é fato histórico, seu perdão também, assim como a informação de que circulava pela região do rio das Velhas em seu período sumido. Mas terá sido ele quem descobriu ouro em Minas?

Os bandeirantes já haviam percebido que leito e margens dos rios das Mortes e das Velhas tinham características similares às dos rios de Paranaguá, no atual Paraná. Lá havia sido descoberto algum ouro, em 1648. Mas era pouco. Não parecia promissor. E, no entanto, no solo de Minas descobririam riqueza sem par. Talvez a descoberta inicial tenha sido mantida em segredo por meses. Ou anos. Mas é notícia difícil de segurar.

Nos últimos anos dos mil e seiscentos, os bandeirantes descobriram ouro na terra que batizariam Minas Gerais.

O Brasil exigiu esforço. Nos primeiros vinte e poucos anos, d. Manuel I praticamente o ignorou. Nas quatro décadas seguintes, d. João III tentou povoar o país via capitanias, não deu, implantou governo central e estrutura de defesa, deu início à busca por ouro e, mais importante, estruturou a indústria do açúcar. Forçado pela conjuntura na Europa e África, fez a aposta que seu pai não cogitou fazer e iniciou testes para descobrir de que serviria o país. Ele não soube em vida, mas as três apostas – na defesa do território, na busca do ouro e na fabricação de açúcar – trariam rendimentos futuros. Ele não viu, assim como não viu seu neto e sucessor d. Sebastião I, que nem sequer teve vida suficiente para esboçar um projeto para a terra. Quando o primeiro século de vida do Brasil terminou, o país estava nas mãos da Espanha, via união ibérica, e era uma planilha no vermelho. Gastava-se com a colônia mais em salários e defesa do que ela rendia em tributos.[2]

O ouro ainda demoraria um século para aparecer e, nesse período, as capitanias do sul subsistiram. Salvador, Olinda e arredores, porém, prosperaram. Enquanto os Sá governavam o Rio, as capitais nordestinas começaram a emular Portugal no Brasil. Suas plantas se dividiram em cidade Alta e cidade Baixa, assim como no Reino.[3] São Vicente e Santos foram fundadas no plano. São Paulo, no alto de um planalto. Embora o Rio tenha tido nos primeiros anos sua "cidade alta" no topo do Castelo, foi diferente. Em menos de uma década a cidade já havia se transferido para a várzea, e a divisão entre cidade alta e baixa logo

[2] SCHWARTZ, Stuart B. *Burocracia e sociedade no Brasil colonial.*

[3] SOUZA, Laura de Mello e. *O sol e a sombra.*

se perdeu.[4] Essa emulação estrutural de cidade portuguesa desapareceu rápido.

Rio e São Paulo investiram no tráfico de escravos africanos para as minas bolivianas, mas naquelas cidades poucos tinham dinheiro para tal luxo. Seus escravos eram tupis. Em um texto da época, referem-se ao número de escravos como "quantos arcos têm à disposição", o que indica não só a origem indígena como também seu uso, menos para os serviços domésticos ou de lavoura e mais para as expedições guerreiras, no mato. No Nordeste, a mescla étnica naquele momento inicial foi diferente. Primeiro vieram os escravos da Guiné – sudaneses. Depois, bantos do Congo e de Angola.[5]

Entre historiadores, há polêmica sobre qual o grau de distinção desses dois Brasis, neste período. Em pelo menos dois dos livros que inauguraram nossa ideia moderna de Brasil, visões se chocam. Em seu *Populações meridionais do Brasil*, Oliveira Vianna sugere que tanto o senhor de engenho pernambucano quanto o rico bandeirante paulista moravam em casas grandes, vestiam bons tecidos e comiam à mesa com louça fina e talheres de prata. Na *Vida e morte do Bandeirante*, Alcântara Machado pinta uma vida dura, de pés descalços e sem muito espaço para luxos em São Paulo.

Os números da economia de um canto e do outro fazem parecer que Machado tinha razão. Os esforços holan-

[4] ABREU, Mauricio de Almeida. *Geografia histórica do Rio de Janeiro (1502-1700).*

[5] BOXER, Charles R. op. cit.

deses para conquistar primeiro Salvador, depois Pernambuco, também corroboram com a ideia. Dados demográficos reiteram. Em 1584, 150 famílias brancas viviam no Rio, segundo o padre Fernão Cardim; em São Paulo, 120, em Santos, 80. Em Salvador, 3.000, e, em Pernambuco, 2.000. Estes números continuam incrivelmente destoantes século XVII afora. Só com a tomada de Pernambuco e mais de metade do Nordeste pelos holandeses é que o Rio se torna a segunda maior cidade do Brasil, perdendo ainda de longe para Salvador.[6] Na verdade, nem seria preciso ir tão longe. Basta pensar em Borba Gato, genro de Fernão Dias Paes, dois dos maiores líderes bandeirantes da história. Por quinze anos fugido no interior levando uma vida que por certo não tinha espaço para baixelas de prata.

O BRASIL EXIGIU ESFORÇO. NOS PRIMEIROS VINTE E POUCOS ANOS, D. MANUEL I PRATICAMENTE O IGNOROU. D. JOÃO III NÃO SOUBE EM VIDA, MAS AS [SUAS] TRÊS APOSTAS – NA DEFESA DO TERRITÓRIO, NA BUSCA DO OURO E NA FABRICAÇÃO DE AÇÚCAR – TRARIAM RENDIMENTOS FUTUROS.

Com o dinheiro, as hierarquias também começaram a ficar mais claras no Nordeste. Durante o século XVII, ser senhor de engenho era como ser fidalgo no reino. Uma vida para ser servido. Em Pernambuco, as elites nem sequer se misturaram: mantiveram-se brancas.[7] Quando os

6 ABREU, Mauricio de Almeida. op. cit.

7 SOUZA, Laura de Mello e. op. cit.

holandeses lá chegaram, encontraram uma sociedade em que tudo se reduzia a quem é e a quem não é: o senhor e o escravo, o fidalgo e o plebeu, o católico e o pagão.[8] Recriaram, naquele trecho do Brasil, a estrutura social do reino.

E não foi só para estrangeiros que o Brasil ficou mais atraente. Aos poucos, os sonhos de riqueza em Portugal deixaram de se concentrar nas Índias e voltaram-se para o Brasil. Nas contas de um testemunho da época, por ano migravam dois mil portugueses de Viana, Porto ou Lisboa, principalmente homens, para o Novo Mundo. Não havia navio que chegasse da Madeira ou dos Açores que não carregasse pelo menos 80 camponeses com seus sonhos.[9] O Brasil, mesmo para os brancos mais pobres, representava um estilo de vida. Até o sapateiro, tão logo podia, comprava um ou dois escravos, ensinava seu ofício e parava de trabalhar.

Entre 1568 e 1648, Espanha e Holanda lutaram a Guerra dos Oitenta Anos com uma trégua entre 1607 e 19. Neste período de 12 anos, holandeses puderam voltar a fazer negócios legalmente com a colônia portuguesa na América. Era um comércio incômodo, principalmente porque Portugal tinha dificuldades de cobrar tributos daquilo que navios estrangeiros tiravam do país. Em momento algum os portugueses deixaram de criar tantas dificuldades quanto

[8] SCHWARTZ, Stuart B. op. cit.

[9] BOXER, Charles R. op. cit.

conseguiam a este comércio e, ao fim da trégua, ele cessou bruscamente. O impacto econômico nos Países Baixos não foi pequeno.

A *Geoctroyeerde Westindische Compagnie*, Companhia das Índias Ocidentais, nasceu em junho de 1621. Uma companhia privada com 19 acionistas e nenhum controle estatal, embora tivessem a anuência do governo. A ela, dedicaram algo entre 10 e 15 navios que chegaram a ser responsáveis por algo entre metade e um terço de todo o comércio brasileiro. A Holanda teve 29 refinarias de açúcar para terminar o serviço e redistribuir o produto na Europa.[10] Sua história coincide com a ascensão de Salvador Corrêa de Sá e Benevides.

Em 10 de maio de 1624, uma frota com 1.700 homens, liderados pelo almirante Jacob Willekens, conquistou a cidade de Salvador e prendeu o governador-geral, Diogo de Mendonça Furtado. Uma força espanhola ainda maior, com 14.000 homens, reconquistou a capital brasileira exato um ano depois.

Em Pernambuco foi diferente e a herança se mostra no contraste entre Olinda, com a cidade Alta e a Baixa no estilo português, e Recife, com seus parques à holandesa. A Companhia das Índias assumiu a região em fevereiro de 1630 e iniciou um processo que levou à expansão de um território que chegou tão longe quanto o Maranhão e Fernando de Noronha. Governaram até 1654, com apogeu no período entre 37 e 44, durante o qual Maurício de Nassau esteve no comando.

---

[10] SCHWARTZ, Stuart B. op. cit.

Não foi, sempre, mau negócio para os senhores de engenho locais. Fizeram bastante dinheiro, e muitos colaboraram. Assim como houve resistência. Quando o jugo espanhol sobre Portugal se encerrou, em 1640, não havia mais motivo para conflito entre os dois países, na Europa. Mas a Holanda, que chegou a São Luís do Maranhão em 1641, tinha controle efetivo sobre boa parte da produção açucareira do Brasil. Portugal dependia desses ganhos. E o retorno não veio sem uma articulação sangrenta e custosa.

A Insurreição Pernambucana teve início quando uma série de senhores de engenho não teve cumpridas as promessas holandesas de que suas dívidas tributárias seriam perdoadas. Ao mesmo tempo, d. João IV, novo rei de Portugal, negociava com a Holanda a recuperação das terras. O negócio do açúcar nordestino entrara em decadência e, apesar do esforço, ele já não era tão atraente quanto fora na primeira metade do século XVII. A Companhia das Índias estava falimentar. Os holandeses deixaram o Nordeste por causa da guerra. Mas a paz foi comprada: 63 toneladas de ouro pagas em prestações anuais por 40 anos.[11]

Mau negócio para os holandeses, mau negócio também para os portugueses. Se tinham as terras de volta, não tinham mais o monopólio do conhecimento da indústria do açúcar. Nas Antilhas holandesas nasceu um concorrente de peso. Em finais da década de 1670, o Brasil vivia uma depressão econômica.[12]

[11] MELLO, Evaldo Cabral de. *O negócio do Brasil.*

[12] BOXER, Charles R. op. cit.

"A vila de São Paulo há muitos anos que é República de *per se*, sem observância de lei nenhuma, assim divina como humana", escreveu ao rei português o governador-geral Antônio Luís Gonçalves da Câmara Coutinho, em 1692. "São rebeldes tanto em São Paulo, donde são moradores, como no sertão, donde vivem o mais do tempo."[13] No Sul, eram mestiços. Meio brancos, meio índios. E isso fez diferença.

Em seus relatos, exploradores e missionários raramente mencionam dificuldades com a floresta. Mesmo quando entram fundo, centenas de quilômetros, tudo parece fácil. Nos documentos oficiais distribuindo os primeiros títulos de terra, a burocracia do Rio cita áreas na futura cidade "matos maninhos", em oposição aos "matos verdadeiros", transliteração do tupi caá-etê.[14] A caá-etê, mato verdadeiro, é a Mata Atlântica: um milhão de metros quadrados estendendo-se por quase todo o litoral brasileiro. Ia fundo 100km para o norte e até mais de 500km para o sul. Absolutamente impossível para homens viverem em seu interior. Uma mata densa, intimidadora. Se havia tantos "matos maninhos" no Rio e tão poucos europeus indicavam dificuldades de entrar e permanecer na floresta é porque ela já estava domada pelos tupis. Os bandeirantes conheciam os peabirus, a complexa rede de trilhas que, no fim, lhes levou ao ouro mineiro. Nos dois

[13] SOUZA, Laura de Mello e. op. cit.

[14] DEAN, Warren. *A ferro e fogo.*

primeiros séculos de história, na Bahia e no Nordeste, uma burocracia oficialesca se unira à nobreza formada na terra para dividir o poder, os desmandos e a incrível quantidade de dinheiro que entrava legal e ilegalmente. Um dinheiro que vinha em troca de muito pouco trabalho ou custo, graças à farta mão de obra escrava africana.

São Paulo não podia estar mais distante disto. Era uma cidade pobre, selvagem, de espírito independente. E o Rio teria sido como São Paulo, não fora a constante presença dos Sá. Desde o início, eles mantiveram contato com o poder em Lisboa. Sempre que puderam, exigiram que esse contato fosse direto, que corresse independente do governo na Bahia. Salvador Corrêa de Sá e Benevides foi além: ele próprio se tornou um homem importante na Corte, responsável parcialmente pela política externa do Império, envolvido nas tramoias palacianas.

NA BAHIA E NO NORDESTE UMA BUROCRACIA OFICIALESCA SE UNIRA À NOBREZA FORMADA NA TERRA PARA DIVIDIR O PODER, OS DESMANDOS, E O DINHEIRO QUE ENTRAVA LEGAL E ILEGALMENTE. UM DINHEIRO QUE VINHA EM TROCA DE MUITO POUCO TRABALHO OU CUSTO, GRAÇAS À FARTA MÃO DE OBRA ESCRAVA AFRICANA.

A relação do Rio com Lisboa deu frutos para São Paulo. É porque o Rio lidava com a metrópole em nome dos paulistas que eles puderam seguir em suas bandeiras desobedientes, particulares, sem muita vigia. O intermediário amaciava a relação. São Paulo pôde descobrir ouro porque teve essa liberdade. Mas, no primeiro momento, a descoberta do ouro provocou ainda maior desconforto, tanto da elite nordestina quanto dos administradores portugueses da colônia. O governador Antônio Coutinho, em sua diatribe contra os paulistas, estava apenas enfatizando esse sentimento comum ao tempo. E, colonizada inicialmente por paulistas, Minas ia adquirindo o mesmo perfil indômito que, da Bahia para cima, era parcamente tolerado.

Para Portugal, o ouro das Minas era um desafio maior porque punha em questão sua tática brasileira. O período de dominação holandesa no Nordeste e as constantes brigas de paulistas e cariocas com os jesuítas por conta da escravidão de índios pareciam ter ensinado uma lição a Lisboa. Manter uma boa relação com os colonos mais influentes era essencial para bem governar. Agora, as Minas sugavam todos os recursos. Escravos negros e gêneros de subsistência os mais diversos seguiam o rumo do ouro. Os engenhos sofriam pela falta. Não seria mais possível estar bem com as elites de Norte e Sul simultaneamente.[15]

Nos primeiros anos do século XVIII, o Rio foi invadido por franceses. Nações estrangeiras não tinham mais interesse pelo Norte, o centro econômico do Brasil começava a se deslocar. Portugal precisava tomar decisões. E, para ter algum controle sobre São Paulo e Minas, precisaria

[15] SOUZA, Laura de Mello e. op. cit.

utilizar a relação construída nos primeiros séculos. Tal controle só poderia partir do Rio, uma cidade que ao mesmo tempo em que tinha o espírito libertário de São Paulo sabia lidar com a corte. Uma cidade mais tupi do que negra, como São Paulo, diferente do resto do Brasil. Uma cidade de mateiros, portanto. Mas também uma cidade que provara saber ser governo.

O Rio tinha ginga.

E tinha um porto seguro, protegido pela entrada estreita da Guanabara, que se bem-guardado poderia garantir – como de fato garantiu por mais de um século – a segurança do ouro escoado.

Essa, porém, é uma outra história.

POSFÁCIO

Foi um dia, em 1999, que percebi: não conhecia a história do Rio. Ou conhecia muito pouco. Era uma tarde modorrenta de pouco trabalho no recesso parlamentar, um calor infernal lá fora, e eu de terno e gravata dentro do palácio Pedro Ernesto, sede da Câmara Municipal. Estava no meu exílio de um ano das redações. Desci as escadarias de mármore para ganhar a Cinelândia e comprar cigarros com o projeto de passar numa livraria em busca duma história da cidade.

Atravessei o Centro naquela tarde entrando onde vendessem livro, incluindo os sebos. Mas o livro que buscava não havia. Encontrei livros antigos com muitos detalhes de momentos particulares. Livros novos, de arte, ricos em fotos, celebrando a beleza natural. Histórias de bairros, histórias de ruas, biografias, descrições picadinhas da cidade em cada momento, e uma única história resumida dos quatro séculos em poucas páginas. Mas um livro só que me contasse os porquês e o como, desse uma ideia de contexto, trouxesse vida aos personagens, isso não encontrei.

Voltei para a Câmara com uma pilha de volumes debaixo do braço na esperança de que o conjunto me revelasse o que buscava.

No ano em que trabalhei como assessor de imprensa da Câmara, aprendi que a política da cidade é um pouco pior do que parece de longe. Após aquele ano, a história do Rio passou a me acompanhar. Em 2000, fui trabalhar na revista eletrônica *No.*, criada por alguns dos melhores jornalistas brasileiros. A redação ficava em um dos andares mais altos do prédio anexo à Academia Brasileira de Letras, na esquina das avenidas Presidente Wilson com Presidente Antonio Carlos.

Espigão feio localizado ao lado da igrejinha de Santa Luzia.

Quase todo dia, olhando a paisagem lá de cima, me imaginava numa janela do colégio dos Jesuítas. Porque o colégio dos padres da Companhia ficava mais ou menos ali e naquela altura. Buscando as águas da Guanabara escondidas por outros prédios, tentei inúmeras vezes imaginar que vista tinha, de sua cela, o velho e corcunda Anchieta.

No. fechou em 2002 para dar lugar ao *NoMínimo*, versão bem mais modesta, miúda, porém não menos divertida. E, modestamente, deixamos o prédio caro para uma salinha bem mais simpática que nos foi alugada pela produtora de cinema Videofilmes. Um prédio simples com portaria pela rua do Russel, embaixo, e pela ladeira da Glória, em cima. Todos os dias, minha rotina consistia em descer do ônibus à frente da Taberna da Glória e subir a ladeira que leva ao Outeiro até a redaçãozinha do site. A mais violenta batalha pela conquista do Rio se deu naquele lugar. Lá, o temido Aimberê, chefe dos tamoios conjurados, caiu morto. E também lá, no mesmo dia, Estácio de Sá foi flechado de morte.

Centenas, talvez milhares de pessoas, foram mortas ali entre os dias 20 e 21 de janeiro de 1567. Sem essa batalha sangrenta não teria havido Rio.

Do *NoMínimo*, a carreira me levou para *O Estado de S. Paulo*. Carioca vivendo em São Paulo existe de dois tipos. Um se encontra e não quer mais voltar: as coisas são mais organizadas, mais pragmáticas. Carioca gosta de adiar decisões que exijam desgaste; paulistano encara. O outro tipo não consegue se encaixar e se entrega ao banzo, deseja a volta. De alguma forma, em São Paulo aprendi algo sobre mim: pertenço aos dois tipos. Como admiro o jeito paulistano e como irritam os constantes improvisos cariocas. Neste exato momento, escrevo perante a janela aberta de meu escritório. Ao fundo, a mata verde. Se o que define o carioca é colocar o humor em função do sol e da chuva, é o reagir ao cheiro da terra molhada e da maresia, eu sou carioca. Não me sinto desconfortável quando fora de casa. Mas casa é só no Rio.

Em 2011, quando voltei às redações cariocas, retornei a este livro como quem volta a uma velha relação. Ele já estava praticamente pronto, mas faltava um quê. A pesquisa começou em 1999. A redação teve início em 2002. Mas a distância me ensinou mais sobre o Rio, e sobre seu papel no Brasil, do que a proximidade. Somos, frequentemente, acusados de achar que o Brasil é o Rio. Isso não é de todo verdade. E, de qualquer forma, pode-se dizer algo parecido a respeito de São Paulo: lá, lamentam que o Brasil não é uma grande São Paulo. Somos diferentes em nossas arrogâncias.

Há outro motivo para ter retornado ao livro. Na redação de *O Globo*, encontrei otimismo. O Rio foi por tanto tempo maltratado e, nos últimos anos, algo começou a mudar. Uma das coisas que aprendi fora de casa é que mudança não vem apenas por parte dos governantes. O desejo tem de ser coletivo. Somos, por exemplo, agressivos no trânsito. Em São Paulo, ninguém fecha cruzamento; no Rio, sinal amarelo é sinal para pisar no acelerador. Sujamos a cidade mais do que noutros cantos do país. Gari, no Rio, tem de trabalhar dobrado.

As montanhas, a Lagoa, o mar já estavam aqui e continuarão quando nos formos. Todo o resto é o que decidirmos fazer do lugar. Decidimos a partir da imagem que construirmos de nós mesmos. E essa imagem nasce de quanto sabemos sobre como viemos parar aqui. Escrevi para conhecer essa resposta. A resposta que encontrei é minha contribuição para o otimismo com o futuro.

Gávea, agosto de 2012.

REFERÊNCIAS BIBLIOGRÁFICAS

ABREU, Mauricio de Almeida. *Geografia histórica do Rio de Janeiro (1502-1700)*. 2v. Rio de Janeiro: Andrea Jakobsson Estúdio, 2010.

ANCHIETA, Pe. José de. Tradução de Pe. Armando Cardoso. *De Gestis Mendi de Saa*. Rio de Janeiro: Arquivo Nacional, 1958.

________. *Textos históricos*. São Paulo: Loyola, 1989.

ANTONIL, André João. *Cultura e opulência do Brasil*. Belo Horizonte: Itatiaia, 1997.

ARMSTRONG, Karen. *Uma história de Deus*: quatro milênios de busca do judaísmo, cristianismo e islamismo. São Paulo: Companhia das Letras, 1994.

AZEVEDO, Manuel Duarte Moreira de. *O Rio de Janeiro*: sua história, monumentos, homens notáveis, usos e curiosidades. 2v. Rio de Janeiro: Livraria Brasiliana Editora, 1969.

BELCHIOR, Elysio de Oliveira. *Conquistadores e povoadores do Rio de Janeiro*. Rio de Janeiro: Livraria Brasiliana Editora, 1965.

BERNAND, Carmen. *Historia de Buenos Aires*. Cidade do México, México: Fondo de Cultura Economica, 1999.

BOXER, Charles R. *A idade de ouro do Brasil*. Rio de Janeiro: Nova Fronteira, 2000.

________. *O império marítimo português — 1415-1825*. São Paulo: Companhia das Letras, 2002.

________. *Salvador de Sá and the Struggle for Brazil and Angola — 1602-1686*. London: Athlone Press for University of London, 1952.

COARACY, Vivaldo. *Memórias da cidade do Rio de Janeiro*. Belo Horizonte: Itatiaia, 1988.

________. *O Rio de Janeiro no século XVII*. Rio de Janeiro: José Olympio, 1965.

COHEN, Alberto A. *Ouvidor, a rua do Rio*. Rio de Janeiro: AACohen, 2001.

COSTA, Cássio. *História dos subúrbios: Gávea*. Rio de Janeiro: Departamento de História e Documentação, 1963.

COUTO, Jorge. *A construção do Brasil*. Lisboa, Portugal: Edições Cosmos, 1998.

CRULS, Gastão. *Aparência do Rio de Janeiro*: notícia histórica e descritiva da cidade. 2v. Rio de Janeiro: José Olympio, 1949.

DEAN, Warren. *A ferro e fogo*: a história e a devastação da Mata Atlântica brasileira. São Paulo: Companhia das Letras, 2011.

FAUSTO, Carlos. Fragmentos de história e cultura tupinambá. In: *História dos índios no Brasil*. São Paulo: Companhia das Letras, 2008.

FAZENDA, José Vieira. *Antiqualhas e memórias do Rio de Janeiro*. 5v. Rio de Janeiro: Imprensa Nacional, 1927.

FERREIRA, João da Costa. *A cidade do Rio de Janeiro e seu termo*: ensaio urbanológico. Rio de Janeiro: Imprensa Nacional, 1934.

FRAGOSO, Gal. Augusto Tasso. *Os franceses no Rio de Janeiro*. Rio de Janeiro: Biblioteca do Exército, 2004.

FRANÇA, Jean Marcel Carvalho. *Outras visões do Rio de Janeiro colonial*: antologia de textos (1582-1808). Rio de Janeiro: José Olympio, 2000.

________. *Visões do Rio de Janeiro colonial*: antologia de textos (1531-1800). Rio de Janeiro: EdUERJ; José Olympio, 1999.

FURTADO, Celso. *Economia colonial no Brasil nos séculos XVI e XVII*. São Paulo: Hucitec, 2001.

________. *Formação econômica do Brasil*. São Paulo: Companhia das Letras, 2007.

GERSON, Brasil. *História das ruas do Rio*. Rio de Janeiro: Livraria Brasiliana Editora, 1965.

HETZEL, Bia. *Baía de Guanabara*. Rio de Janeiro: Manati, 2000.

KIDDER, Daniel P. *Reminiscências de viagens e permanência no Brasil*. Brasília: Senado Federal, Conselho Editorial, 2001.

KIPLING, Rudyard. The Song of Diego Valdez. In: *Collected verse of Rudyard Kipling*. Rockville, Maryland, Estados Unidos: Wildside Press, 2007, p. 70-73.

LAMEGO, Alberto Ribeiro. *O homem e a Guanabara*. Rio de Janeiro: Serviço Gráfico do Instituto Brasileiro de Geografia e Estatística, 1948.

LANATA, Jorge. *Argentinos*: Tomo 1, desde Pedro de Mendoza hasta la Argentina del Centenario. Buenos Aires, Argentina: Ediciones B, 2002.

LATIF, Miran de Barros. *Uma cidade no trópico*: São Sebastião do Rio de Janeiro. Rio de Janeiro: Agir, 1965.

LÉRY, Jean de. *Viagem à terra do Brasil*. Rio de Janeiro: Biblioteca do Exército, 1961.

LESSA, Carlos. *O Rio de todos os Brasis*: uma reflexão em busca de autoestima. Rio de Janeiro: Record, 2000.

LISBOA, Balthazar da Silva. *Annaes do Rio de Janeiro*. 8v. Rio de Janeiro: Typografia Imperial, 1834.

LOPEZ, Adriana. *Franceses e tupinambás na terra do Brasil*. São Paulo: SENAC, 2001.

MARIZ, Vasco; Provençal, Lucien. *Villegagnon e a França Antártica*: uma reavaliação. Rio de Janeiro: Nova Fronteira; Biblioteca do Exército, 2001

MELLO, Carl Egbert H. Vieira de. *O Rio de Janeiro no Brasil quinhentista*. São Paulo: Giordano, 1996.

MELLO, Evaldo Cabral de. *O negócio do Brasil*: Portugal, os Países Baixos e o Nordeste, 1641-1669. São Paulo: Companhia das Letras, 2011.

MOTLEY, John Lothrop. *History of the United Netherlands*. New York, Estados Unidos: Harper and brothers, 1900.

NEME, Salete Maria Nascimento. *A utilização da mão de obra indígena na região do Rio de Janeiro na segunda metade do século XVI*. Niterói: Universidade Federal Fluminense, 1985. Dissertação de mestrado.

NÓBREGA, Pe. Manuel da. *Cartas do Brasil e mais escritos*. Coimbra, Portugal: Universidade de Coimbra, 1955.

NONATO, José Antônio; SANTOS, Núbia Melhem (orgs.). *Era uma vez o morro do Castelo*. Rio de Janeiro: Iphan, 2000.

PARANHOS FILHO, José Maria da Silva. *Efemérides brasileiras*. Rio de Janeiro: Imprensa Nacional, 1938.

PINTO, Angelo C. *O pau-brasil e um pouco da história brasileira*. Instituto de Química (UFRJ). Rio de Janeiro, 1999. Disponível em: http://www.sbq.org.br/filiais/adm/Upload/subconteudo/pdf/Historias_Interessantes_de_Produtos_Naturais07.pdf

QUINTILIANO, Aylton. *A guerra dos Tamoios*. Rio de Janeiro: Relume Dumará, 2003.

SAMPAIO, Theodoro. *O tupi na geographia nacional*. Salvador: Câmara Municipal de Salvador, 1955.

SARAIVA, José Hermano. *História concisa de Portugal*. Lisboa, Portugal: Europa-América, 2007.

SCHWARTZ, Stuart B. *Burocracia e sociedade no Brasil colonial*: o Tribunal Superior da Bahia e seus desembargadores, 1609-1751. São Paulo: Companhia das Letras, 2011.

SILVA, Alberto da Costa e. *A manilha e o libambo*. Rio de Janeiro: Nova Fronteira, 2002.

SOUZA, Laura de Mello e. *O sol e a sombra*: Política e administração na América portuguesa do século XVIII. São Paulo: Companhia das Letras, 2006.

STADEN, Hans. *Duas viagens ao Brasil*. Belo Horizonte: Itatiaia, 1974.

THOMAZ, Joaquim. *Anchieta*. Rio de Janeiro: Biblioteca do Exército, 1981.

TOLEDO, Roberto Pompeu de. *A capital da solidão*: uma história de São Paulo das origens a 1900. Rio de Janeiro: Objetiva, 2003.

VAN SPILBERGEN, Joris. *De reis van Joris van Spilbergen naar Ceylon, Atjeh en Bantam 1601-1604*. Delft, Holanda: Floris Balthasars, 1605.

AGRADECIMENTOS

No jornalismo, a gente tem genealogia. É a história de quem nos deu chances e nos ensinou coisas. Meus primeiros chefes foram Vitor Sznejder e Carla Rodrigues. Vitor arrancou de mim um lide e Carla conseguiu (não sem esforço) me transformar num repórter capaz de conseguir notícia com um telefonema. É o beabá. Se a gente não aprende cedo, não aprende nunca.

Marcos Sá Corrêa e Flávio Pinheiro me ensinaram muito. Um par de vezes, cada um pegou um texto meu e, na minha frente, reescreveu um ou dois parágrafos. O que sei sobre escrever foi por conta deles. Flávio me ensinou ainda a refletir sobre os fatos, a buscar pautas, histórias, para muito além do disse me disse das autoridades. Marcos, na mesma toada, fez para mim um elo entre história e jornalismo que jamais desfiz. Por conta dele, vejo a história passada em cada fato novo. A maneira como busco entender o mundo me foi ensinada pelos dois. Devo demais a ambos.

Assim como devo a Alfredo Ribeiro e Xico Vargas, que me deram liberdade. Nos cinco anos em que os tive como chefes, pude fazer o que quis. É uma liberdade raríssima em redação, e saí da experiência de trabalho com os dois convicto de que já era um jornalista maduro, formado. Mas, então, com Laura Greenhalgh, aprendi a entrevistar e a editar. Que eu tenha demorado tanto tempo na carreira para aprender a fazer uma boa entrevista me deixa pasmo até hoje.

Ricardo Gandour, n'*O Estado de S. Paulo*, me deu meu primeiro cargo de chefia. Paulo Novis me trouxe de volta ao Rio para *O Globo*. No jornal, Ascânio Seleme e Sandra Sanches me dão, ainda, aquela mesma liberdade que, um dia, achei que jamais teria de volta. Agora é num jornal de grande porte. E uma oportunidade, acompanhando o dia a dia carioca, de me apaixonar novamente pela minha cidade.

Tive chefes excelentes, com quem aprendi muito. Gente generosa que confiou em mim. As deficiências, evidentemente, são só minhas.

Uma nota de agradecimento não poderia deixar de incluir, ainda, os nomes de Sergio Gwercman e Barbara Soalheiro. Não apenas por serem bons amigos, mas também por estarem entre os melhores conselheiros. Sua força e conselhos foram fundamentais para que este livro enfim seguisse o caminho para publicação.

Não foram apenas jornalistas que tiveram influência ou contato com este livro entre o vago projeto e, dez anos depois, sua versão final. Cleia Braga de Carvalho e Alfredo Brito, que conhecem muito o Rio e a sua história, foram leitores. Francisco Antonio Doria, meu pai, também autor de livros de história, foi interlocutor empolgado em inúmeras conversas.

E tem a Marina. Marina Gomara é paciente. Muito mais carioca do que eu — no jeito, no falar, nos hábitos. Se estou sempre racionalizando, tentando entender, construindo alguma teoria para explicar, Marina aceita. Não é um aceitar passivo — é ativo. Marina faz parte do todo. Está em paz com o mundo. (Embora, nem sempre, esteja em paz comigo.) Eu me esforço para ser do Rio. Marina é o Rio. Ela só não sabe que é taoista. Mas é pelo seu taoismo que não consigo imaginar a vida sem sua companhia.

Editor responsável
Rodrigo Almeida

Produção
Adriana Torres
Ana Carla Sousa

Produção editorial
Mônica Surrage

Revisão
Marina Boscato
Silva Pereira

Pesquisa iconográfica
Pedro Krause

Projeto gráfico
Leandro B. Liporage

Diagramação
Elza Maria da Silveira Ramos

Este livro foi impresso no Rio de Janeiro, em outubro de 2012,
pela Edigráfica, para a Editora Nova Fronteira.
A fonte usada no miolo é Iowan Old Style, corpo 10,5/14,5.
O papel do miolo é avena 80g/m², e o da capa é cartão 250g/m².